블렌더와 텍스트
베이직

김광채 지음

부크크

2023

목 차

프롤로그

현실 세계에서 우리는 수많은 텍스트를 접한다. 2D 텍스트도 많지만, 3D 텍스트도 보일 때가 없지 않다. 그러나 보통은, 3D 텍스트가 2D 텍스트보다 더 시선을 사로잡는다.

BLENDER
3D

물론, 파워포인트 같은 프레제테이션 소프트웨어로도 3D 텍스트를 어느 정도까지는 만들 수 있다. 하지만, 블렌더처럼 자유소프트웨어이면서도 고차원적인 결과물을 만들어 낼 수 있는 프로그램을 찾기는 어렵다.

거기다가 블렌더는 텍스트 애니매이션까지 제작할 수 있게 한다. 모든 객체에 대해 애니매이션을 적용할 수 있으니, 텍스트를 객체처럼 다룰 수 있는 한에 있어, 텍스트 애니매이션이 불가능할 수 없다.

그러나 블렌더로 3D 텍스트를 만들고, 그것을 움직이게까지 하는 일은 여타의 블렌더 작업처럼 상당한 숙련이 필요한 작업인 것 같다.

하지만, 인간이 고도의 문명을 이루며 살고 있는 세상은 문자나 텍스트 없이 존립할 수 없다. 사람들 사이에 음성을 수단으로 하여 이루어지는 대화가 대단히 중요함에도 말이다. 이 같은 세상에서 블렌더로 만들어지는 3D 텍스트는 우리의 삶을 좀 더 풍요롭게 할 것이 틀림없다.

그러나 필자는 블렌더 고수가 전혀 아니다. 그러므로 이 책은 블렌더 고수가 되려는 사람들을 위한 책이 아니다. 도리어 초심자 내지는 중수(中手)가 막 되려는 사람들을 위한 책이다. 그러므로 어려운 내용은 많이 건너뛰겠다.

그래서 이 책에 없는 내용은 블렌더의 진정한 고수들에게 문의해 주기를 간곡히 바라는 바이다.

1. 텍스트의 입력 및 편집

본서는 2022년 8월 릴리즈된 블렌더 버전 3.2.2에 기반을 두고 있다. 버전 3.2.2가 최신 버전이 아닌 것은 사실이지만, 이것으로도 멋진 3D 텍스트를 충분히 구현할 수 있을 것 같다.

모든 설명은 우리의 블렌더에 한국어 설정이 되어 있다는 전제 하에서 하도록 하겠다.

1.1. 간단한 예시

1.1.1. 텍스트 생성의 시작

블렌더를 완전히 새로 시작하면, 다음과 같은 화면을 얻는다.

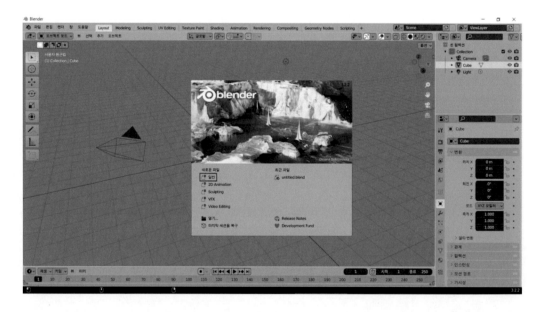

새로운 파일(New File)의 일반(General)을 선택하든, 아니면, 아무 버튼이나 누른다.

우리가 새로 맞이하는 화면은 다음과 같다.

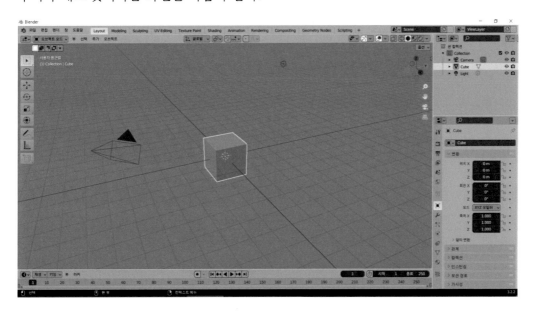

아웃라이너(Outliner)를 자세히 보면 다음과 같다.

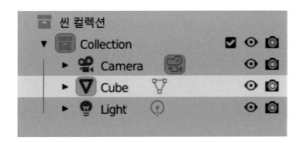

Camera와 Light는 모두 한글로 바꾼다. 그리고 끈다. Cube에는 <직육면체>라는
이름을 부여한다.

이제 단축키 N을 눌러, 사이드바(Sidebar)의 변환(Transform) 창이 나타나게 한다.

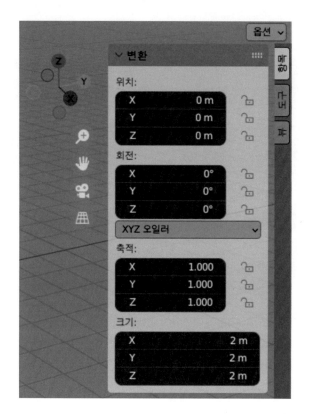

먼저 크기(Dimensions)를 바꾸되, X=4m, Y=3m, Z=1m가 되게 한다. 다음으로 위치 (Location)는 Z의 값만 바꾸어, Z=-0.5m가 되게 한다.

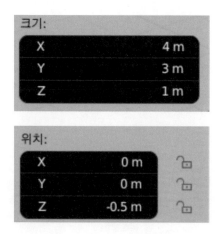

3D 뷰포트는 다음과 같은 모습을 보이게 된다.

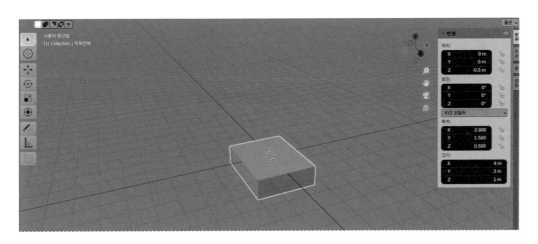

그러면, 텍스트 생성을 시작해 보자! 이를 위해 오브젝트 모드(Object Mode)의 추가 (Add) 메뉴를 선택한다. 바로 긴 드롭다운 메뉴창이 나타난다.

이 창이 제시하는 여러 메뉴 중에서 <텍스트> 메뉴를 선택한다. 즉시 화면 중앙에 Text 라는 새로운 객체가 생성된다.

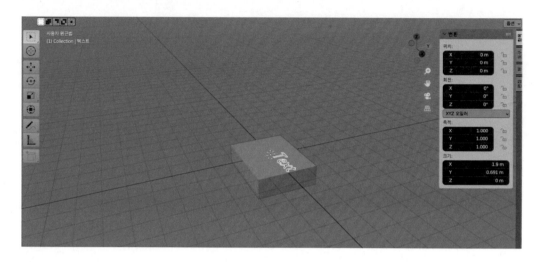

화면이 똑바르지가 않다. 키보드 숫자판에서 7을 눌러, 상단뷰(Top View)를 본다. 우리는 아래와 같은 그림을 보게 된다.

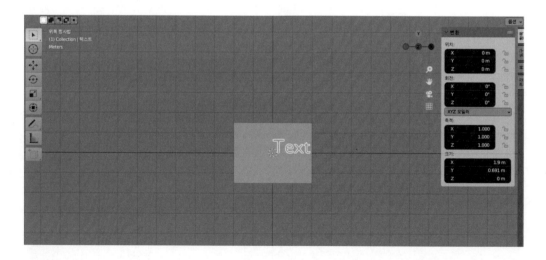

Text가 <직육면체> 위에 얹혀 있기는 하다. 그러나 오른쪽으로 치우쳐 있다. 그리고 아래 쪽 여백이 위쪽 여백보다 더 넓다. 이 문제를 시정하기 위해 Text 위치를 좀 변경시켜 주도록 하겠다.

뷰포트 오른쪽 변환 창을 보면, Text의 위치가 X, Y, Z 모두 0m로 되어 있다. 이것을 X=-1m, Y=-0.25m로 변경시켜 준다. Z 값은 그대로 둔다.

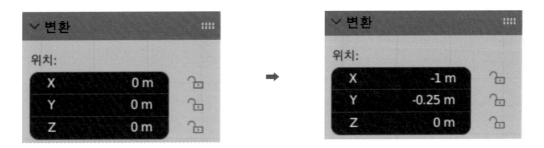

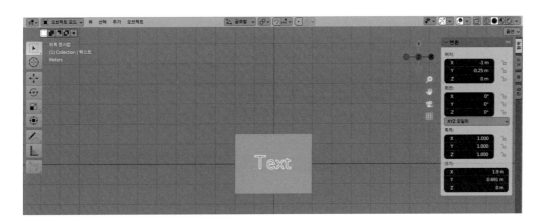

이제야 Text가 <직육면체>의 중앙에 자리하게 되었다.

1.1.2. 글자에 색깔 부여하기

블렌더는 뷰포트 셰이딩(Viewport Shading)의 네 가지 모드 중에서 솔리드(Solid) 모드를 디폴트 모드로 사용한다. 잘 아는 대로, 솔리드 모드는 컴퓨터에 과부하가 걸리는 것을 방지해 주기는 하나, 우리가 만든 객체의 원래 색깔을 전혀 표시해 주지 않는 문제점이 있다. 이에 우리는 솔리드 모드 대신 매테리얼 미리보기(Material Preview) 모드를 사용하고자 한다. 이 모드는 렌더 미리보기(Render Prewiew)보다 컴퓨터에 과부하가 덜 걸리게 하면서도, 객체의 원래 색깔을 어느 정도까지는 표시해 준다.

왼쪽 그림은 솔리드 모드 아이콘의 위치를 표시해 준다.

↑

매테리얼 미리보기

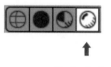

↑

렌더 미리보기

단축키 N을 눌러, 사이드바(Sidebar)와 변환(Transform) 창이 들어가 보이지 않게 한다. 그리고 Overlays 단추를 클릭하여, 뷰포트 오버레이(Viewport Overlays) 창이 뜨게 한다. 이어서 <3D 커서>와 <오리진>의 체크를 다 해제한다.

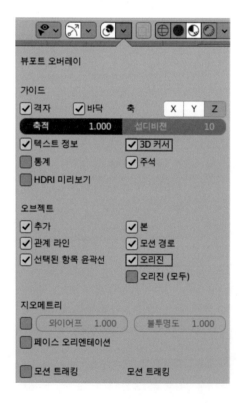

➡

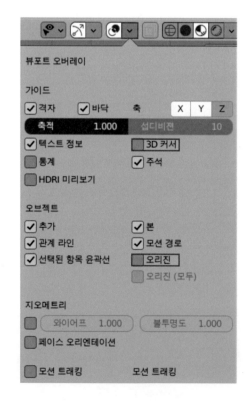

이제 3D 커서와 객체의 오리진이 화면에서 잠시 사라졌다. 필요하면, 언제든 뷰포트 오버레이 창을 열어, 체크를 다시 해 주면 된다.

그러면 프로퍼티스 에디터(Properties Editor)로 가자! 현재는 오브젝트 프로퍼티스(Object Propeties) 아이콘이 선택돼 있다. 우리는 매트리얼 프로퍼티스(Material Properties)를 선택한다.

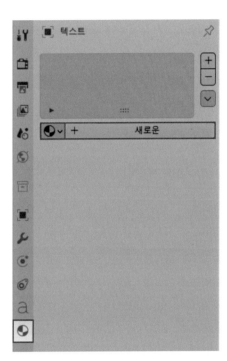

매트리얼 프로퍼티스를 선택하면, 프로퍼티스 에디터(Properties Editor) 화면이 즉각 바뀌는데, + 새로운 이라는 멘트가 적힌 작은 상자가 나타나는 것을 볼 수 있다. 그리고 그 상자 왼쪽에는 다음과 같은 아이콘이 보인다.

이 아이콘을 클릭하면, 오른쪽 그림에서 보는 것과 같은 상자가 열린다. 그리고 원래부터 <Material>이라 이름하는 매트리얼이 존재하고 있었음을 보여 준다.

<Material>이라 이름하는 매트리얼은 디폴트 매트리얼이다. 그러므로 이것의 색깔이 –
사용자가 별다른 조치를 취해 놓지 않았을 경우 – 새로 생성되는 모든 객체의 색깔이 된다.
그리고 솔리드 모드의 객체의 색깔도 이것의 색깔과 같다.

☞ <Material>의 색깔을 우리가 바꿀 수는 있다. 그렇다고, 솔리드 모드의 객체의
색깔이 바뀌지는 않는다. 솔리드 모드의 객체의 색깔은 항상 회색을 유지한다.

우리는 <Material>이라 이름하는 디폴트 매트리얼은 그냥 놔두고, + 새로운 이라는
멘트가 적힌 작은 상자를 클릭하여, 새로운 매트리얼을 생성시키자! 이번에는 한글로
쓰인 <매테리얼>이라는 이름의 매트리얼이 생긴다. 우리는 이것의 이름을 <석문>으로
고친다.

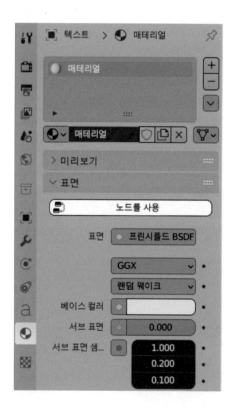

이곳이 입력 부분이다.

이곳에 입력하면, 위쪽의 글자도
이곳에 입력한 글자로 바뀐다.

석문(石文). '돌에다 쓴 글'이라는 뜻이다. 우리는 글자의 색깔을 임의로 정할 수 있다. 여기서는 글자의 베이스 컬러(Base Color)만 정하기로 한다.

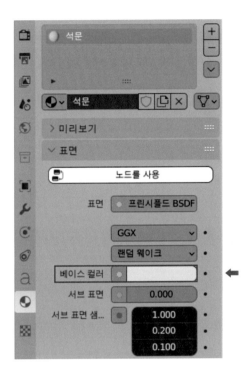

블렌더의 디폴트 베이스 컬러는 흰색에 매우 가까운 연회색이다. 이 색의 RGB 값은 각각 0.800이며, 헥스 값은 E7E7E7 이다.

<베이스 컬러>라는 멘트 오른쪽의 사실상 흰색인 박스를 누르면, 오른쪽 그림과 같은 컬러 피커(Color Picker)가 나타 난다.

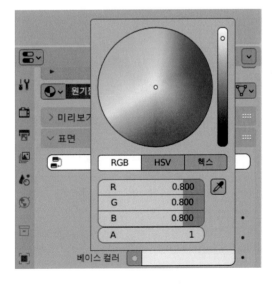

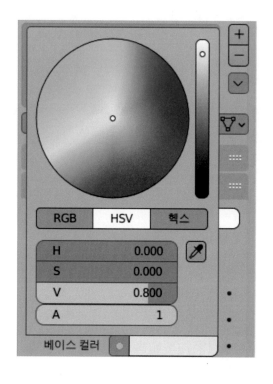

경우에 따라선, RGB 값 대신 HSV 값을 표시하는 컬러 피커(Color Picker)가 나타날 수 있다.

RGB는 빛의 삼원색이라 하는 Red, Green, Blue의 약자이다.

HSV는 색상을 의미하는 Hue, 채도를 의미하는 Saturation, 명도를 의미하는 Value의 약자이다.

컴퓨터로 색을 다룰 때는 헥스(Hex) 값을 아는 것이 필요하다. 이것은 색을 16진수로 표현한다. 자세한 것은 나무위키의 <헥스 코드> 항목을 참고하길 바란다.

왼쪽 그림은 블렌더의 디폴트 베이스 컬러를 헥스 값으로 표현했을 때의 컬러 피커의 모습을 보여 준다.

우리는 보통 글자 색으로 청색이나 흑색을 사용하며, 특별한 경우 적색이나 녹색 등 기타 색을 사용한다. 여기서는 청색과 흑색을 가지고 보기를 삼겠다. 참고로 청색의 헥스 값은 #0000FF이며, 흑색의 헥스 값은 #000000이다. 단, 블렌더에서는 헥스 값에 #를 붙이지 않는다. 다음은 글자의 베이스 컬러를 청색으로 했을 때 얻은 그림이다.

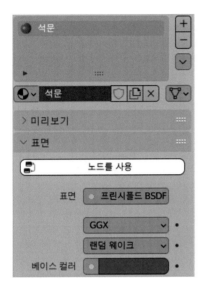

이때 아웃라이너에서 <석문> 대신 <직육면체>를 선택해야 한다.

다음은 글자의 베이스 컬러를 흑색으로 했을 때 얻은 그림이다.

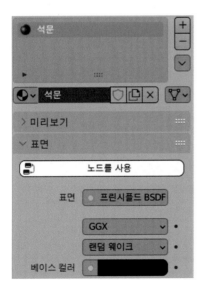

이때 역시 아웃라이너에서 <석문> 대신 <직육면체>를 선택해야 한다.

1.1.3. 직육면체에 텍스쳐 입히기

글자에는 색깔이 부여되었으나, 글자가 기록된 <직육면체>에는 아직 색깔이 부여되지 않았다. 우리가 아는 대로, 글자 자체도 중요하지만, 글자가 기록되는 매체 또한 상당한 중요성을 지닌다.

우리는 <기록물>이라는 단어를 알고 있다. 이 말이 사용되는 이유를 생각해 보면, 기록이라는 것이 어떤 매체에 행해지기 때문임을 알 수 있다.

팔만대장경을 생각해 보라! 혹은 파피루스를 생각해 보라! 거기 쓰인 글자도 심히 중요하지만, 경판(經板)이나 파피루스라는 매체 자체도 상당히 중요하다.

책의 앞부분인 만큼, 독자들의 편의를 위해, 최대한 쉽게 이야기를 진행하겠다.

필자는, 우리의 <직육면체>가 X=4m, Y=3m, Z=1m인 돌판이라고 가정하고 싶다. 또 색은 회색이며, 돌로서의 무늬를 지녔다고 보려 한다.

그래서 이런 필자의 취향을 상당 부분 만족시키는 무료 텍스쳐(Texture)를 영어 위키피디아에서 구했다. 여러분은, 여러분이 선호하는 사이트에서 비슷한 것을 구해 보시기 바란다.

우리는 아웃라이너에서 <직육면체>를 선택한다. 그리고 매트리얼의 이름은 <회색돌>이라 한다. 그리고 <베이스 컬러>로 간다. 잘 보면, 작은 박스 안에 노락색 점이 있을 것이다. 이곳을 클릭한다.

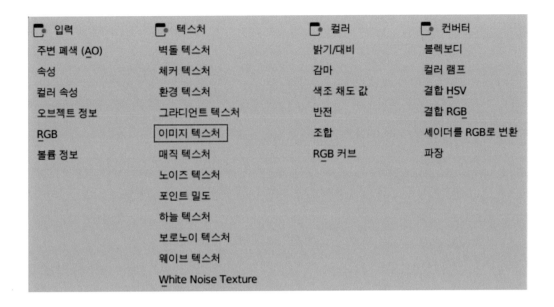

위와 같은 메뉴창이 펼쳐진다. 수많은 메뉴 중에서 우리는 이미지 텍스쳐(Image Texture)를 선택하자!

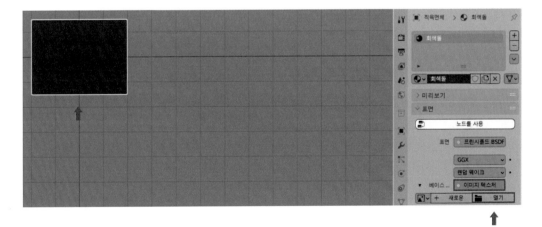

갑자기 뷰포트 중앙의 회색돌의 색이 검고 어둡게 변했고, <베이스 컬러> 메뉴의 노란색 점 옆에는 <이미지 텍스쳐>라는 멘트가 적혔다. 당황할 필요 없다. 이미지 텍스쳐를 아직 불러온 것이 아니기 때문에, 이렇게 된 것이다.

<열기>를 클릭하여 이미지 텍스쳐 파일이 보관된 폴더로 찾아가야 한다.

필자는 C 드라이브에 <이미지텍스쳐>라는 폴더를 만들어 두고, 거기에 필요한 이미지 텍스쳐 파일을 보관해 두었다.

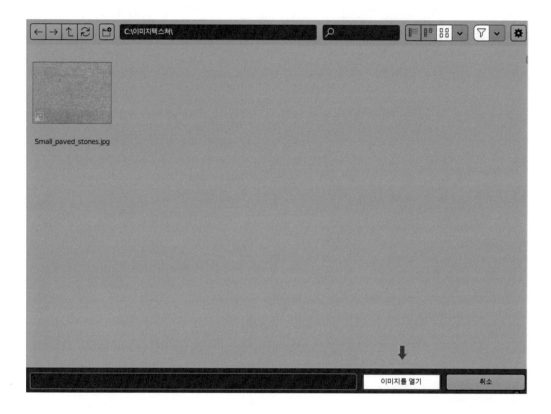

필요한 파일을 선택한 다음 <이미지를 열기>를 클릭한다. 그러면, 이미지 텍스쳐가 적용되어, 뷰포트 중앙의 객체 모습은 이렇게 바뀐다.

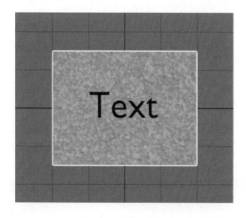

1.1.4. 텍스트의 돌출

현재 우리의 **Text**는 두께가 없는 2D 객체이다. 이것을 3D 객체로 만들어 주기 위해서는
블렌더의 돌출(突出) 내지 익스트루드(Extrude) 기능을 사용할 필요가 있다.

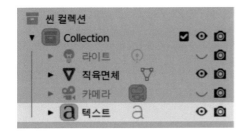

먼저 아웃라이너에서 <텍스트>를 선택
한다.

그리고 프로퍼티스 에디터에서 오브젝트 데이터 프로퍼티스(Object Data Properties)
아이콘 **a**를 클릭한다.

텍스트와 관련된 여러 메뉴 중에서
돌출을 선택한다.

돌출의 값을 0.2m로 변경한다. 그리고 오르빗 기즈모로 화면을 약간만 회전시킨다. 다음과 비슷한 그림을 얻을 수 있을 것이다.

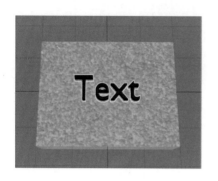

확실히 입체감을 느낄 수 있다.

1.2. 텍스트의 입력

1.2.1. 영문 폰트 설정

블렌더를 새로 시작한다. Cube는 삭제하고, Camera는 <카메라>로, Light는 <라이트>로 이름을 바꾸어 준 다음 끈다. 그리고 추가 > 텍스트를 차례로 클릭하여, 다음과 같은 화면을 얻는다.

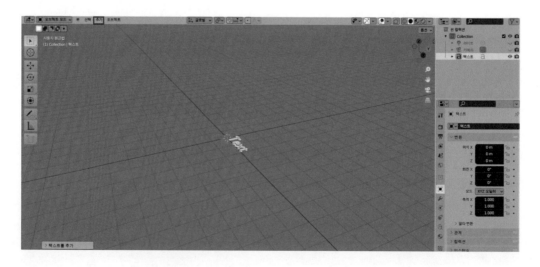

키보드 숫자판에서 7을 눌러, 상단뷰(Top View)를 본다. 그리고 탭 키를 눌러 에디트 모드(Edit Mode)로 전환한다.

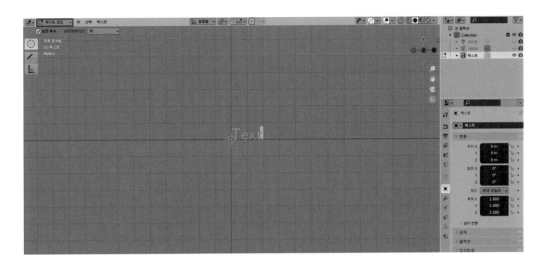

Text의 모양이 약간 바뀌었고, 그 오른쪽에 입력 커서가 사실상 t자와 붙어 있다. 이제 새로운 텍스트를 입력할 수 있다.

그러나 새로운 텍스트를 입력하기 전에 폰트 설정을 해 줄 필요가 있다. 왜냐하면, 우리는 텍스트를 입력할 때, 어떤 종류의 폰트를 사용하는지가 매우 중요하기 때문이다. 물론, 폰트를 나중에 바꾸어 줄 수도 있으나, 텍스트 입력 전에 정해 놓는 것이 불필요한 수고를 더는 길일 것이다.

블렌더는 내장 폰트인 Bfont를 디폴트로 사용한다. 그러나 우리는 우리의 취향에 따라, 또 많은 사람들의 선호도를 감안하여, 적절한 폰트를 사용한다.

폰트를 고를 때 주의할 점은, 우리가 고른 폰트가 상업적으로도 사용할 수 있는 무료 폰트인가 하는 것이다. 우리가 만든 작품을 개인적으로 사용하는 것은 상관이 없지만, 유튜브에 올린다든지 할 때, 불필요한 시비에 휘말릴 수 있다. 그러므로 상업적으로도 사용 가능한 무료 폰트를 구하는 것이 좋을 것으로 생각된다.

다행히 요즈음은 상업적 무료 폰트를 구하기가 그닥 어렵지만은 않다. 특히 영문 폰트는 한글 폰트보다, 종류도 더 많고, 구하기도 더 쉽다.

프로퍼티스 에디터에서 **a** 모양의 오브젝트 데이터 프로퍼티스(Object Data Properties) 아이콘을 눌러, 다음과 같은 <텍스트 속성 편집창>을 띄운다.

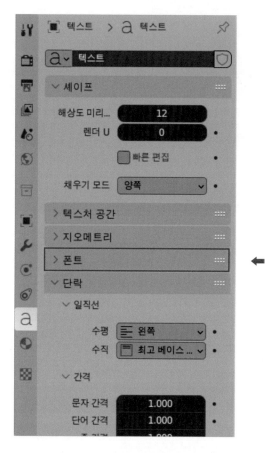

폰트 메뉴를 선택하면, 다음과 같은 창이 펼쳐진다. 이 창은, 우리가 아래와 같은 네 종류의 폰트를 다 사용할 수 있음을 보여 준다.

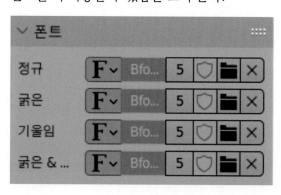

1) Regular
2) Bold
3) Italic
4) Bold & Italic

프로퍼티스 에디터의 폭을 좀 넓히도록 하겠다. 현재는 네 종류의 폰트에 전부 다 Bfont Regular가 적용되어 있다. Bfont는 앞에서 말한 대로 블렌더 내장 폰트이다.

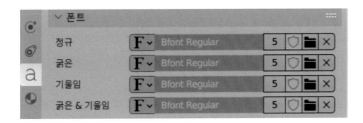

우리는 상업적 무료 폰트인 Liberation Serif 폰트를 적용하도록 한다.

이 폰트는, 미국의 어센더 코퍼레이션 (Ascender Corperation)이 개발하여, 2007년 발표하였다.

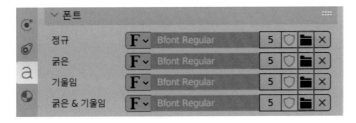

우리는 위 메뉴창에서 📁 아이콘을 선택한다. 그러면, 우리 컴퓨터의 C 드라이브 Windows 폴더 내의 Fonts 폴더가 뜬다.

이 Fonts 폴더에서 Liberation Serif에 해당하는 4개 파일을 찾은 다음, <폰트를 열기>를 클릭하여 차례로 블렌더에 설치한다.

Liberation Serif Regular 폰트를 설치하는 즉시, 뷰포트의 Text의 폰트가 Bfont에서 Liberation Serif Regular로 바뀐다.

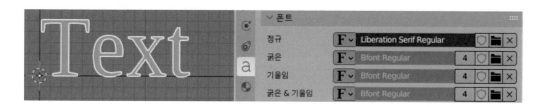

그런데, Liberation Serif에 속하는 네 종류의 폰트를 다 설치해도, 뷰포트의 Text의 폰트는 바뀌지 않는다. 즉, 뷰포트에 우리가 입력하는 텍스트는 여전히 Liberation Serif Regular 폰트를 사용한다. 이는, 오브젝트 모드에서는 정규(Regular) 항목에 설치된 폰트가 디폴트로 사용되기 때문이다.

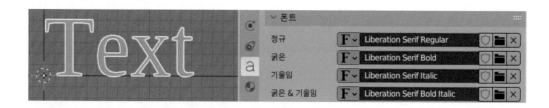

그러면 이제 탭키를 눌러 에디트 모드로 전환해 보도록 하자! 텍스트를 둘러싸고 있던 흰 줄이 없어졌다. 그리고 텍스트 오른쪽에는 직사각형 커서가 생겼다. 폰트 창에는 폰트 모양에 대한 네 가지 메뉴가 새로 제시되었다.

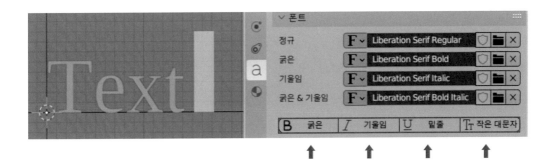

현재의 뷰포트에는 여전히 Liberation Serif Regular 폰트가 사용되었다. 하지만 우리는 이제 Bold체도, Italic체도 사용할 수 있고, 밑줄도 그을 수 있고, 작은 대문자도 쓸 수 있다.

기존에 입력돼 있던 텍스트는 지우고, 커서를 월드 오리진으로 이동시킨 다음, <B 굵은>을 눌러, Bold체를 선택한다. 그리고 텍스트를 새로 입력한다.

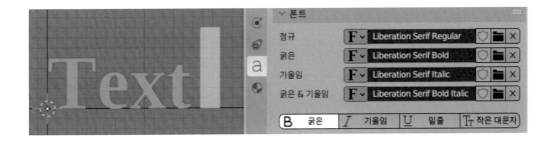

확실히 글씨가 굵어졌다. 이번에는 <I 기울임>도 눌러, Bold체와 이탤릭체를 함께 선택한다. 물론, 기존에 입력돼 있던 텍스트는 지우고, 커서를 월드 오리진으로 이동시킨 다음에 그렇게 한다.

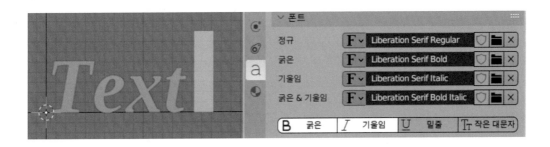

이번에는 같은 방법을 사용하되, <B 굵은>의 선택은 해제하고, <I 기울임>만 선택하여, Bold체가 아닌 이탤릭체의 모습을 보도록 하자!

Bold체가 아닌 이탤릭체의 글자는 확실히 가늘다는 사실을 확인할 수 있다. 이번에도 같은 방법을 사용하되, Regular체에 <U 밑줄>을 선택하여, 밑줄을 그었을 때의 모습을 보도록 하자!

다음으로, Bold체 + 이탤릭체에 <U 밑줄>을 선택하여, Bold체 + 이탤릭체에 밑줄을 그었을 때의 모습을 보도록 하자!

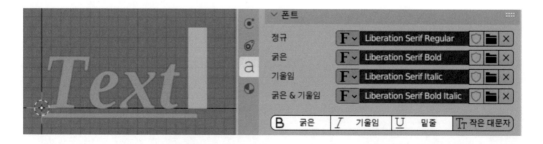

이제는 Regular체에 <Tᴛ 작은 대문자>를 선택했을 때의 모습을 보도록 하자!

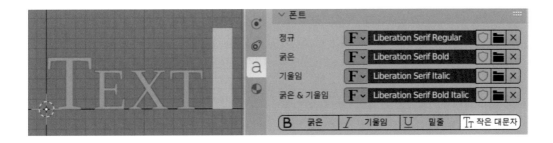

바로 위 그림에서 보는 대로, 첫 글자는 큰 대문자가 사용되었고, 둘째 글자부터는 작은 대문자가 사용되었다.

1.2.2. 영문 텍스트 입력

영문 텍스트를 3D 뷰포트에 바로 입력하지 않고, 마치 넓은 시멘트 바닥 위에 쓰는 것처럼 해 보겠다. 시멘트 바닥은 가로 20m, 세로 20m, 두께 1m로 정하겠다.

블렌더를 새로 시작한다. Cube는 삭제하고, Camera는 <카메라>로, Light는 <라이트>로 이름을 바꾸어 준 다음 끈다. 추가 > 메쉬 > 평면을 차례로 선택하여, X=2m, Y=2m의 평면을 추가한다. 그리고 이 평면을 X=20m, Y=20m로 확대해 준다.

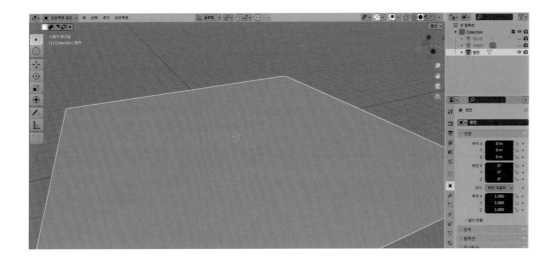

내비게이션 기즈모(Navigation Gizmo)의 줌(Zoom) 단추를 사용하여 화면의 평면이
좀 작게 보이게 한다. 3D 커서와 객체 오리진은 보이지 않게 한다.

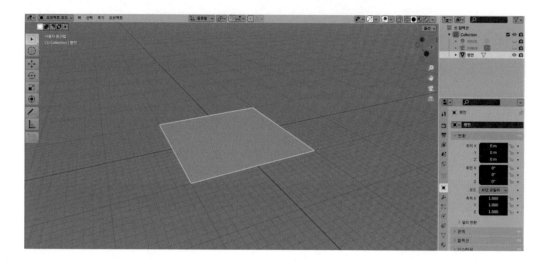

프로퍼티스 에디터에서 모디파이어 프로퍼티스(Modifier Properties) 아이콘을 선택
하면, <모디파이어를 추가>하라는 메시지가 뜬다.

모디파이어 프로퍼티스(Modifier Properties) 아이콘은 몽키처럼 생겼다. 그래서 <몽키
(Monkey) 아이콘> 혹은 <스패너(Spanner) 아이콘>이라 불리기도 한다.

<모디파이어를 추가>하라는 메시지가 적힌 곳을 클릭하면, 아래와 같이 수많은 모디파이어 메뉴가 제시된다.

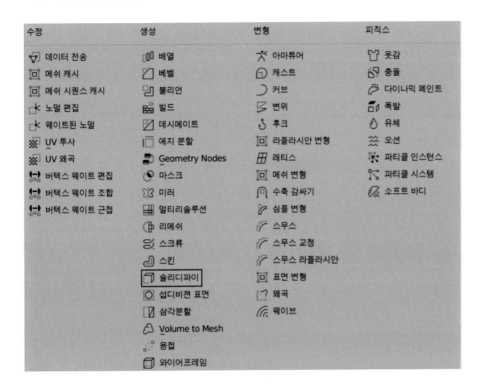

우리는 생성(Generate) 그룹에서 솔리디파이(Solidify) 메뉴를 선택한다.

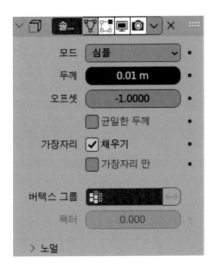

솔리디파이 메뉴를 선택하면, 프로퍼티스 에디터 안에 작은 창이 뜬다.

면에는 – 점이나 선처럼 – 원래 두께(Thickness)가 없다. 솔리디파이는 두께가 없는 객체에 두께를 생성시켜 준다.

새로 생성되는 두께의 디폴트 값은 0.1m이다.

우리가 정한 시멘트 바닥의 두께는 1m이다.

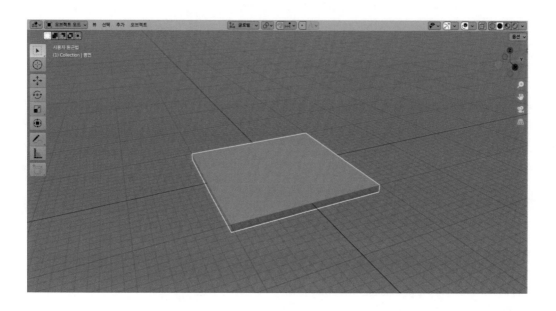

프로퍼티스 에디터에서 매트리얼 프로퍼티스를 선택한다. 그리고 새로운 매트리얼을 추가한다. 앞에서 공부한 요령에 따라 <베이스 컬러> 옆의 노란색 점을 클릭한 후, 펼쳐진 메뉴창에서 <이미지 텍스쳐>를 선택하고, 이미지 텍스쳐 파일이 보관된 폴더에서 필요한 파일을 뷰포트 중앙의 객체에 적용시킨다. 그리고 뷰포트 셰이딩 모드를 매트리얼 미리보기 모드로 전환한다. 또 키보드 숫자판에서 7을 눌러, 상단뷰를 본다. 우리는 다음과 같은 시멘트 바닥을 얻는다.

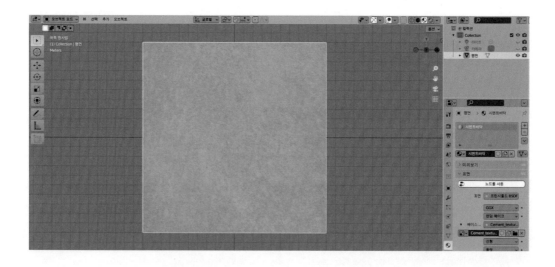

이제 추가 > 텍스트를 차례로 클릭한다. 우리는 다음과 비슷한 그림을 얻게 된다.

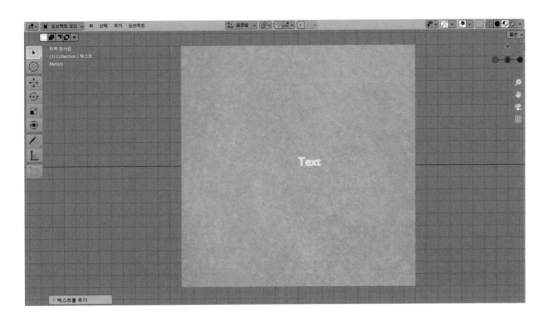

에디트 모드로 전환한 후, 우리가 원하는 텍스트를 입력한다. 다음과 같은 글을 써 본다고 가정하겠다.

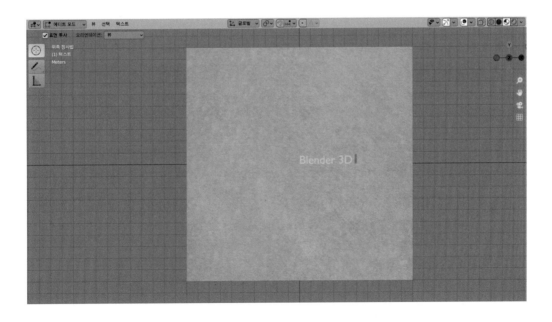

현재 사용된 폰트는 블렌더 내장 폰트인 Bfont Regular이다. 우리는 앞에서 공부한 요령에 따라 Liberation Serif Font 네 가지를 다 설치해 준다. 화면에 보이는 텍스트에는 Liberation Serif Regular 폰트가 적용되었다.

폰트의 색깔을 바꾸기 위해 프로퍼티스 에디터에서 다시 매트리얼 프로퍼티스를 선택한다.

그리고 연결할 매테리얼을 찾아보기 (Browse Material to be linked) 단추를 클릭한다.

아래와 같이 세 가지 옵션이 제시된다. 우리는 <석문>을 선택한다.

글자의 색깔이 다음과 같이 바뀌었다.

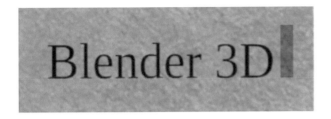

만약 볼드체, 이탤릭체, 밑줄, 작은 대문자를 다 선택한다면, 다음과 같은 결과물도 얻을 수 있다.

1.2.3. 한글 입력

블렌더는 키보드에서 직접 한글을 입력하는 것을 허락하지 않는다. 한국어로 설정된 블렌더라도 마찬가지다.

그래서 우리는 우회로를 이용해야 한다. 그것은, 메모장에 우리가 원하는 내용을 입력한 다음, Ctrl + C로 복사하여 Ctrl + V로 붙여 넣는 방법이다. 시쳇말로 <복붙>이라고 한다. 아래 한글이나 MS 워드에 입력된 것도 <복붙>이 가능하다.

그래도 사전에 해 두어야 할 일이 있다. 그것은 한글 폰트를 설치하는 일이다. 컴퓨터에 한글 폰트가 이미 설치돼 있어도, 블렌더에 한글 폰트를 설치해 주는 작업을 따로 해야 한다. 영문 폰트인 Liberation Serif 폰트의 경우도, 컴퓨터에 이미 설치가 되어 있지만, 우리는 그 폰트를 블렌더에 따로 설치를 하지 않았던가?

우리는 Liberation Serif 폰트를 블렌더에 설치했던 일을 기억하면서, 우리가 원하는 한글 폰트를 블렌더에 설치하기로 하자!

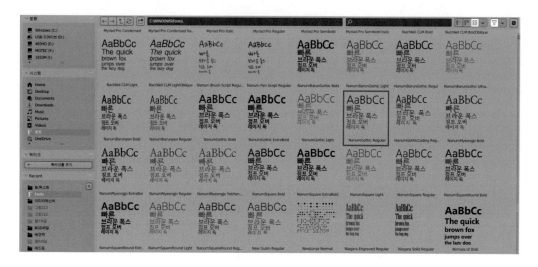

필자는, 네이버에서 배포하는 상업용 무료 폰트인 나눔글꼴 중에서 <나눔고딕보통(Nanum Gothic Regular)>만 설치하겠다.

그런데, 위의 작업을 하려면, 먼저 추가 > 텍스트를 차례로 클릭하여, 화면에 Text를 띄워 놓았어야 했다. 그리고 프로퍼티스 에디터에서 오브젝트 데이터 프로퍼티스 아이콘 **a**를 클릭했어야 했다.

여하간, 블렌더에 한글 폰트가 설치돼 있어야, 소위 <복붙>이라는 것도 가능하다.

글자가 흐리게 보인다. 이를 개선하는 방법은 없을까? 뷰포트 셰이딩 모드를 매테리얼 미리보기 모드로 전환하자! 그리고 프로퍼티스 에디터에서 매트리얼 프로퍼티스를 선택한 후, <베이스 컬러>를 흑색으로 바꾸자!

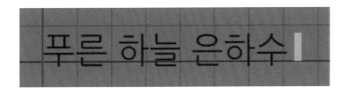

아까보다는 더 선명하게 보인다. 아래와 같이 배경 평면을 만들어 준다면, 더 선명하게 보일 것이다. 필자는 배경 평면의 위치 값을 정할 때, Z=-1m로 해 주었다.

1.2.4. 한자 입력

블렌더에 한글 폰트가 설치돼 있으면, 한자 입력도 가능하다. 왜냐하면, 웬만한 한글 폰트는 모두 다 한자를 지원하기 때문이다. 한자도 한글처럼 <복붙>을 해 주면 된다.

1.2.5. 두 줄 이상 입력

블렌더 매뉴얼에 의하면, 블렌더에서 텍스트 오브젝트(Text Object) 하나 당 최대 5만 글자 입력이 가능하다. 물론, 블렌더에서 이렇게 많은 글자를 입력시킬 사람은 사실상 없을 것이다.

그러나 이렇게 많은 글자를 입력시킬 수 있다는 말은, 블렌더가 줄 바꾸기를 허용한다는 것을 의미한다. 아니, 줄 바꾸기를 허용할 수밖에 없다. 달리 말하면, 블렌더에서는 여러 줄의 문장을 입력하는 것이 가능하다.

1.3. 텍스트의 편집

1.3.1. 해상도 미리보기

<텍스트 속성 아이콘>을 선택했을 때 나타난 메뉴창에서 가장 먼저 보이는 부분은 셰이프 패널(Shape Panel)이다. 이 패널이 제시하는 첫째 항목이 해상도 미리보기(Resolution Preview)이다.

프린터나 컴퓨터 화면 상에서 모든 글자는 모든 그림과 마찬가지로 점의 집합체로 표시된다. 같은 크기와 모양의 글자라도, 더 많은 점으로 표시될 때, 더 높은 해상도(Resolution)를 지니게 되고, 따라서 더 선명하게 보이게 된다.

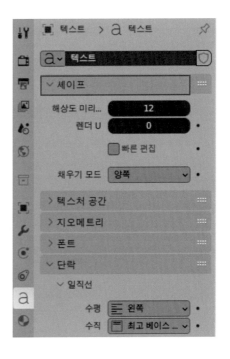

해상도 미리보기(Resolution Preview)의 디폴트 값은 12로 되어 있다. 해상도 미리보기의 값이 변화할 때, 입력한 텍스트의 모양이 어떻게 변화하는지를 예시하기 위해서는, 폰트를 블렌더 내장 폰트인 Bfont로 선택해 주는 것이 좋을 것 같다.

 해상도 미리보기의 값 = 1

값이 1일 때, 글자는 매우 각이 져 보인다. 글자는 두터운 직선으로 이루어진 것처럼 여겨진다.

 해상도 미리보기의 값 = 2

값이 2일 때, 글자의 모양이 조금 부드러워졌다. 그러나 여전히 예쁜 모양은 아니다.

 해상도 미리보기의 값 = 3

값이 3일 때, 글자의 모양이 처음보다는 많이 나아졌다. 그래도 개선의 여지가 남아 있다.

해상도 미리보기의 값 = 4

값이 4일 때, 글자의 모양이 처음보다 현저히 나아졌다. 물론, 자세히 보면, 완전히 부드럽다고 말할 수 없을지 모른다.

우리는 해상도 미리보기의 값을 디폴트 값 12 그대로 둔다.

1.3.2. 채우기 모드

채우기 모드(Fill Mode)란, 글자를 표시할 때, 윤곽선만 표시하고 윤곽선 안쪽은 비워 둘 것인가, 아니면, 윤곽선을 표시함과 아울러 윤곽선 안쪽을 채워 줄 것인가에 따라 정해진다. 네 가지 모드가 있으나, 지금은 다음 두 가지 모드만 소개하기로 한다.

  1) None (= 채우지 않기)
  2) 양쪽

None, 곧, 채우지 않기는, 문자 그대로, 글자의 윤곽선만 표시하고, 윤곽선 안쪽은 비워 두는 방식이다.

양쪽(Both)은 글자의 윤곽선을 표시함과 아울러 윤곽선 안쪽을 앞뒤로 다 채워 주는 방식 이다.

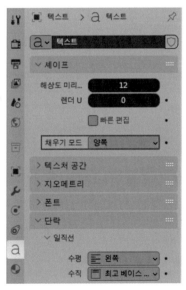

다음은 채우지 않기 모드를 선택했을 때의 모습이다. 글자의 윤곽선만 표시되었다.

다음은 양쪽 모드를 선택했을 때의 모습이다. 글자의 윤곽선만 표시된 것이 아니라, 윤곽선 안쪽도 앞뒤로 다 채워졌다.

1.3.3. 폰트 오프셋

폰트에는 일반 폰트가 있고, 볼드(Bold) 체가 있다. 일반 폰트보다 굵고 선명하다. 블렌더에서는 오프셋(Offset) 툴을 통해서 폰트의 굵기를 조절해 줄 수 있다.

왼쪽의 텍스트 속성 편집창에서 보는 대로, 오프셋은 지오메트리(Geometry)의 하위 메뉴로 되어 있다.

텍스트에 대해 지오메트리라는 용어를 쓴 것은, 블렌더에서는 텍스트도 일종의 객체로 취급된다는 뜻이다. 모든 객체는 기하학적 형태를 지닌다. 텍스트도 마찬가지이다. 폭이 있고, 높이가 있고, 굵기가 있다.

텍스트 지오메트리에서 오프셋은 특별히 글자의 굵기와 관련된다. 즉, 오프셋 값이 증가하면, 글자가 굵어지고, 감소하면, 가늘어진다.

Offset = -0.03

Offset = 0

Offset = 0.02

☞ 오프셋 값은 아주 미세하게 조정해야 한다. 만약 과도하게 하면, 글자가 찌그러질 수 있다.

1.3.4. 돌출

돌출 혹은 익스트루드(Extrude)에 대하여는 앞에서 이미 다루었으므로, 여기서는 더 이상 자세한 설명을 하지 않겠다. 단, 돌출 메뉴는 텍스트 속성 편집창에서 오프셋처럼 지오메트리의 하위 메뉴로 되어 있다.

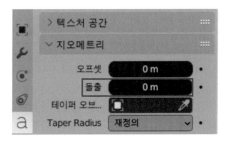

여기서 돌출의 값이 음수가 될 수는 없다.

1.3.5. 베벨

우리는, 베벨(Bevel)이, 각이 진 개체의 모퉁이나 모서리를 부드럽게 만들어 주는 툴이라는 것을 잘 알고 있다. 텍스트의 경우도 돌출을 시켜 주었을 때, 각이 진 모습을 볼 수 있는데, 베벨 툴은 이러한 문제를 해결해 줄 수가 있다.

베벨은 텍스트 속성 편집창에서 오프셋이나 돌출처럼 지오메트리의 하위 메뉴로 되어 있다.

다음 그림은, 돌출을 0.2m로 정해 주었을 때의 텍스트의 모습이다. 글자가 확실히, 각이 져 있는 것을 볼 수 있다.

우리는, 베벨 메뉴가 다음과 같이 닫혀 있는 모습을 볼 수가 있다. 이런 경우 > 표를 눌러,
메뉴가 펼쳐지도록 한다.

다음으로 깊이(Depth)를 0.01m, 0.02m, 0.03m – 이렇게 조금씩 증가시켜 보자!

깊이 = 0.01m

깊이 = 0.02m

깊이 = 0.03m

깊이가 증가할수록, 글자의 각이 무디어지는 모습을 볼 수가 있다. 필자는 깊이 0.02m를
선택하도록 하겠다.

1.3.6. 폰트 크기

텍스트 속성 편집창에서 우리의 관심을 끄는 다음 메뉴는 폰트 변환(Transform) 메뉴에 속하는 폰트 크기(Size) 메뉴이다. 이 메뉴를 사용해 우리는 폰트의 크기를 디폴트의 크기 보다 줄일수도 있고, 늘일 수도 있다.

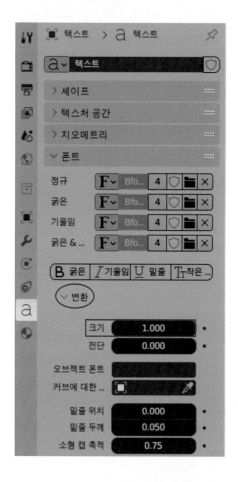

사이즈 = 1.4

사이즈 = 1.2

사이즈 = 1

사이즈 = 0.8

사이즈 = 0.6

1.3.7. 전단

폰트 변환(Transform) 메뉴에서 크기 다음으로 보이는 것이 전단(Shear)이다.

전단(剪斷) – 양털 등을 깎는다는 것이 원래
의미이다. 그러나 블렌더에서는 <기울인다>는
뜻으로 사용된다.

왼쪽 그림은 전단의 값을 0.5로 해 주었을 때의
텍스트의 모습이다.

전단의 값이 0일 때, 텍스트는 똑바로 서 있다. 그리고 전단의 값이 증가함에 따라 기울어
진다.

1.3.8. 텍스트 수평 정렬

블렌더에는 일반 워드프로세서와 비슷하게 텍스트를 수평으로 정렬하는 기능이 있다.
이 기능을 사용하기 위해서는 텍스트 속성 편집창에서 폰트 변환 메뉴 다음에 있는 단락
(Paragraph) 메뉴를 찾아가야 한다. 단락 메뉴의 하위 메뉴로 일직선(Alignment) 메뉴가
보인다.

☞ 일직선이라는 번역은 적절하지 않아 보인다. 차라리 정렬이라는 번역이 더 나을 것
   같다.

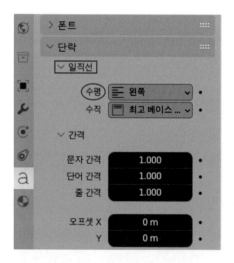

일직선 메뉴는 수평(Horizontal) 메뉴와 수직(Vertical) 메뉴로 나뉘는데, 우리는 수평
메뉴에만 관심을 가진다.

텍스트를 수평으로 정렬하는 방법에는 아래 그림에서 보는 대로 여러 가지 방법이 있다.

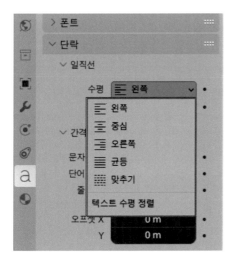

이 같은 여러 정렬 방법은 일반 워드프로세서에도 다 있다. 단, 사용 방법은 워드프로세서와 많이 다르다.

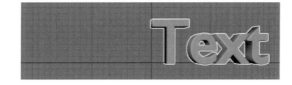

왼쪽

뷰포트 중심이 텍스트 왼쪽에 위치한다.

중심

뷰포트 중심이 텍스트 하단 중앙에 위치한다.

오른쪽

뷰포트 중심이 텍스트 오른쪽에 위치한다.

1.3.9. 문자 간격

블렌더에서도 일반 워드프로세서의 경우처럼 문자 간격(Character Spacing)의 조절이
가능하다.

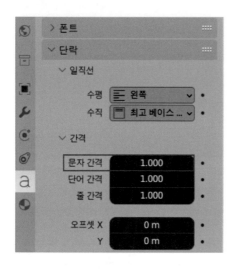

   문자 간격 = 0.900

   문자 간격 = 0.950

   문자 간격 = 1.000

   문자 간격 = 1.050

   문자 간격 = 1.100

1.3.10. 단어 간격

블렌더에서는 단어 간격(Word Spacing)도 조절할 수 있다.

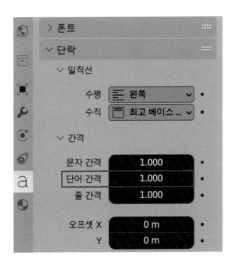

가노라 삼각산아 다시 보자 한강수야   단어 간격 = 3

가노라 삼각산아 다시 보자 한강수야   단어 간격 = 2

가노라 삼각산아 다시 보자 한강수야   단어 간격 = 1

1.3.11. 줄 간격

블렌더에서도 일반 워드프로세서의 경우처럼 줄 간격(Line Spacing)의 조절이 가능하다.
단, 이를 위해서는 여러 줄의 문장을 입력시켜 주어야 한다.

가노라 삼각산아, 다시 보자 한강수야
고국 산천을 떠나고자 하랴마는
시절이 하 수상하니 올동말동 하여라

줄 간격 = 1.000

가노라 삼각산아, 다시 보자 한강수야
고국 산천을 떠나고자 하랴마는
시절이 하 수상하니 올동말동 하여라

줄 간격 = 1.500

가노라 삼각산아, 다시 보자 한강수야
고국 산천을 떠나고자 하랴마는
시절이 하 수상하니 올동말동 하여라

줄 간격 = 2.000

1.3.12. 간격 오프셋

간격(Spacing)의 하위 메뉴로서의 오프셋이란, 글이 뷰포트의 중심에서 얼마큼 떨어져 있는지를 말하는 것이다. 디폴트 값은 X, Y 모두 0이다.

간격의 오프셋 값은 X, Y 모두 양수와 음수를 다 가질 수 있다. 예컨대, X의 값이 음수이면, 글은 뷰포트의 중심보다 더 왼쪽에서 시작한다. 반면, X의 값이 양수이면, 글은 뷰포트의 중심보다 더 오른쪽에서 시작한다.

만약 Y의 값이 음수이면, 글은 뷰포트의 중심보다 더 아래쪽에서 시작한다. 반면, Y의 값이 양수이면, 글은 뷰포트의 중심보다 더 위쪽에서 시작한다.

X = -1m

X = 1m

Y = -1m

Y = 1m

X = 1m
Y = 1m

X = -1m
Y = -1m

X = 1m
Y = -1m

X = -1m
Y = 1m

1.4. 곡선 위에 텍스트 배치하기

우리는 보통 가로쓰기를 한다. 이것은 반듯한 직선 위에 글을 쓰는 것이다. 그러나 우리는 텍스트를 원이나 기타 임의의 곡선 위에 배치하고 싶을 때가 있다. 예를 들어, Sweet Home이라는 글자를 아래와 같이 곡선 위에 올려놓고 싶다고 해 보자!

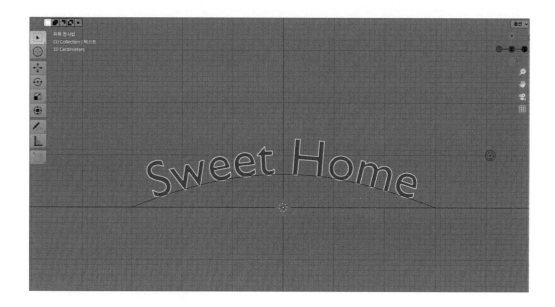

참고로, 글자 색에 사용된 진홍색(Fuchsia)의 HEX 값은 FF00FF이다.

먼저, 텍스트를 입력하고, 폰트와 색깔, 위치 등을 조정해 준다.

다음으로, 오브젝트 모드에서 커브를 하나 추가한 후, 에디트 모드로 들어가서, 커브의
모양을 우리가 원하는 대로 바꾸어 준다.

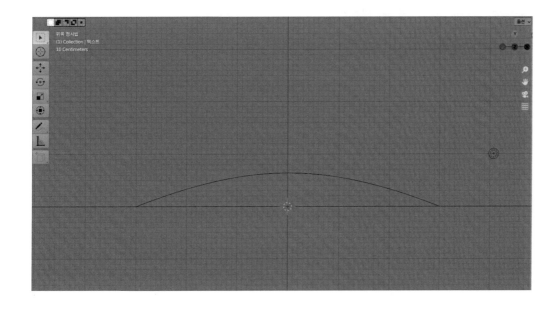

우리가 입력한 텍스트와, 우리가 만든 커브를 같이 보여 주면, 다음과 같다.

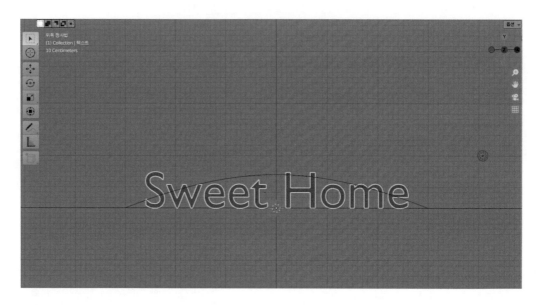

텍스트를 커브 위에 올려놓기 위해서는, 프로퍼티스 에디터에서 오브젝트 데이터 프로퍼티스를 클릭한 다음, 그 여러 메뉴 중에서 폰트 메뉴를 선택한다. 그리고 <커브에 대한 텍스트>(Text on Curve)에서 아이콘을 누른다.

그러면, 프로퍼티스 에디터 안에 다음과 같은 작은 창이 생긴다. 우리는 여기에서 <넙스 경로>를 클릭한다.

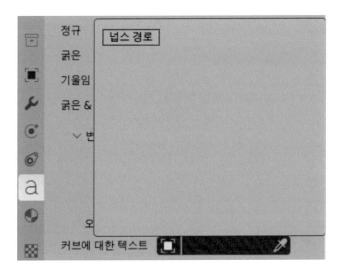

그러면, 텍스트가 커브 위로 올라간다. 즉, 제54쪽 위에서 아까 우리가 보았던 장면을 얻게 된다. 우리는 커브 대신 원을 사용하여 텍스트를 둥글게 배치할 수 있다. 이것은 독자 제위께서 스스로 연습해 보시길 바란다.

2. 오브젝트로서의 텍스트

지금까지 우리는, 블렌더가 워드프로세서와 비슷한 기능을 가지고 있음을 살펴보았다. 곧, 블렌더는 워드프로세서처럼 텍스트를 입력하고, 편집할 수 있는 기능을 가지고 있는데, 우리는 그 중 꼭 필요하다고 생각되는 것만을 취급하였다.

그런데, 앞에서 이야기한 대로, 블렌더에서는 텍스트도 일종의 오브젝트이다. 이 텍스트 오브젝트를 이제 더 이상 텍스트처럼 대하지 않고, 마치 오브젝트로서의 성격만 지닌 것처럼 대할 수도 있을 것이다.

블렌데는 텍스트 오브젝트를 오브젝트로서보다 텍스트로서 취급할 때, 입력과 여러 모양의 편집이 가능하게 하였다. 그러나 텍스트로서보다 오브젝트로서 취급할 때는, 더 이상의 텍스트 입력이 불가능하고, 편집 기능도 상당히 제한된다.

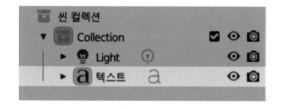

텍스트 오브젝트를 텍스트로 취급

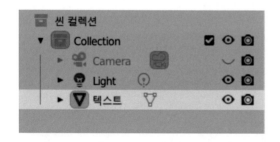

텍스트 오브젝트를 오브젝트로 취급

위 두 그림에서 잘 볼 수 있는 대로, 텍스트 오브젝트를 텍스트로 취급할 때와, 텍스트 오브젝트를 오브젝트로 취급할 때의 아웃라이너의 모습이 다르다. 똑같은 텍스트 오브젝트라 할지라도, 텍스트로서의 성격이 강조될 때는 a 모양의 아이콘이 부여되었다. 반면에, 오브젝트로서의 성격이 강조될 때는 ▽ 모양 내지는 ▽ 모양의 아이콘이 부여되었다.

2.1. 텍스트 오브젝트의 메쉬 변환

블렌더는 워드프로세서가 아니기 때문에, 우리가 원하는 텍스트를 입력하였으면, 텍스트 편집 작업은 필요한 최소한으로 그치는 것이 좋다. 왜냐하면, 블렌더의 특장점은 3D 오브젝트의 생성과 수정에 있기 때문이다. 그래서 텍스트 오브젝트를 아예 메쉬 오브젝트로 변환해 주는 것이 필요하다.

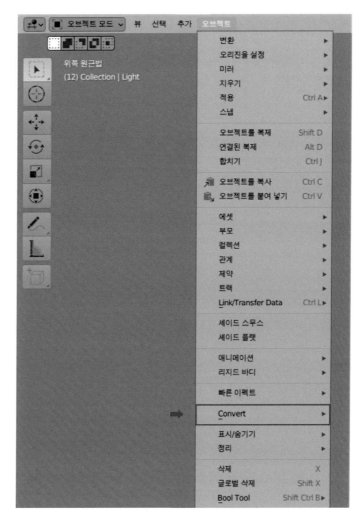

위 그림에서 보는 대로 블렌더의 오브젝트 모드에는 수많은 오브젝트 메뉴가 있다. 이 중 우리에게 지금 필요한 것은 변환(Convert)이다.

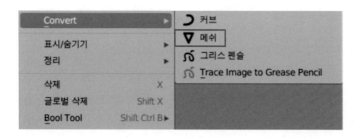

수많은 오브젝트 메뉴 중에서 변환(Convert)을 선택하면, 몇 가지 하위 메뉴가 제시된다. 우리는 텍스트 오브젝트를 메쉬로 변환해야 하므로, 메쉬(Mesh)를 선택한다.

그러면, 실례를 가지고 이야기를 진행해 보자! 뷰포트 중앙에 다음과 같은 텍스트 오브 젝트가 있다고 가정한다. 뷰포트 셰이딩 모드는 매트리얼 미리보기 모드이다. 아웃라 이너를 보면, 텍스트 오브젝트의 이름 <Blender> 옆에 a가 표시돼 있다.

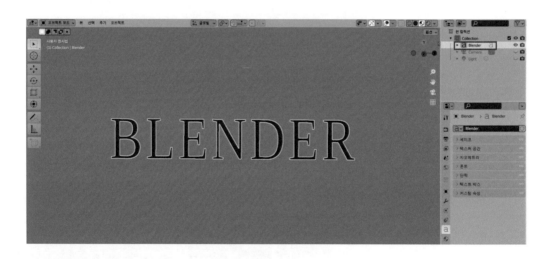

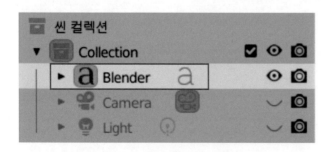

현재 우리의 텍스트 오브젝트는 아직 2D 오브젝트이다. 이것을 3D 오브젝트로 만들어 주려면, 돌출 작업을 해 줄 필요가 있다. 텍스트를 돌출시키는 작업은 앞에서 이미 한 적이 있으므로, 여기서는 자세한 설명은 생략한다. 돌출의 값은 0.2m로 정한다.

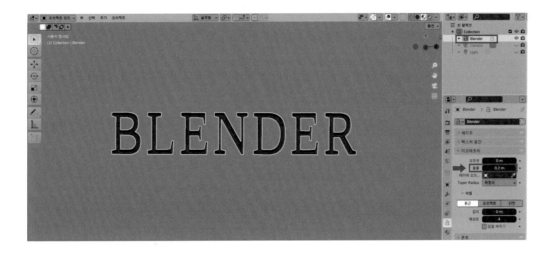

뷰포트 셰이딩 모드를 솔리드 모드로 전환하고, 투영법도 원근법(Perspective Projection)으로 바꾸면, 입체감이 훨씬 더 살아난다.

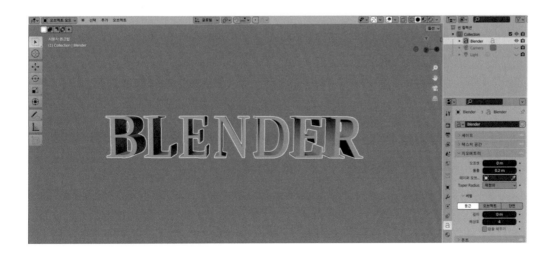

이제 오브젝트 > Convert > 메쉬를 차례로 선택한다. 아웃라이너의 모습이 다음과 같이 바뀐다.

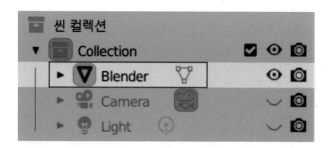

뷰포트 중앙의 텍스트 오브젝트는 메쉬 오브젝트로 변환되었다. 지금부터는 이 오브젝트, 곧, 객체를 다른 일반 오브젝트처럼 다룰 수 있다.

2.2. 텍스트 오브젝트의 리메쉬

뷰포트 우상단 위를 보자. X-Ray 토글 아이콘 왼쪽에 Overlays 아이콘이 있다.

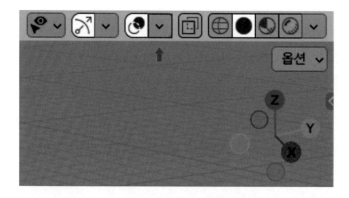

Overlays 아이콘을 클릭하면, 오른쪽 페이지 위에 보이는 것과 같은 뷰포트 오버레이 (Viewport Overlays) 창이 열린다.

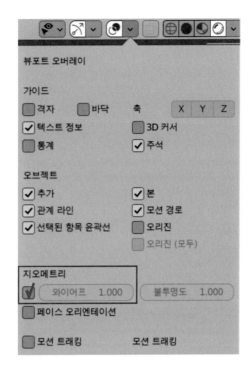

이 창 아랫부분을 보면, <지오메트리> 관련 메뉴가 몇 가지 있는데, 그 가운데 희미한 글씨로 <와이어프>라는 멘트가 적혀 있는 것이 보인다.<와이어프>는 와이어프레임(Wireframe)의 약자이다. 이곳을 체크한다. 그러면, 오브젝트 모드에서도 <와이어 프레임>이 표시된다.

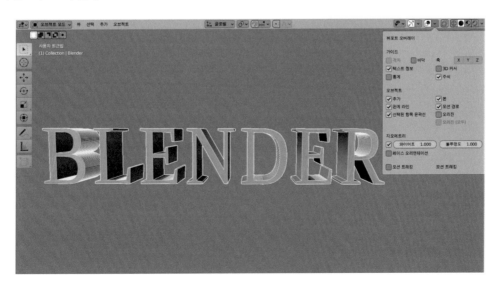

뷰포트 셰이딩 모드를 렌더 미리보기 모드로 전환하고, 투영법도 정사법(Orthographic Projection)으로 바꾼다.

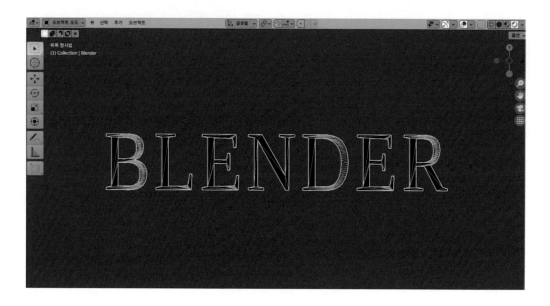

자세히 보면, 이 객체는 – 최소한 정면의 경우 – 수많은 삼각형으로 구성되어 있는 것 같다. 잘 아는 대로, 블렌더는 삼각형보다는 사각형, 그 중에서도 정사각형을 선호한다. 그래야 변형이 쉽고, 컴퓨터에 과부하가 걸리는 것을 막을 수 있고, 애니메이션 작업을 좀 더 쉽고 효율적으로 할 수 있기 때문이다.

리메쉬(Remesh)를 영문 위키피디아의 Wiktionary에서는 이렇게 정의(定義)한다.

 To mesh again, or to use a different mesh

이것을 3D 그래픽과 관련하여 설명하면 다음과 같다. 3차원 객체는 다양한 형태의 수많은 메쉬(Mesh)의 집합체라 할 수 있다. 똑같은 결과물을 얻는다는 전제 하에서 생각해 볼 때, 효율적 작업은 가능한 한, 균일한 모양의 메쉬를 사용하되, 최대한 적게 사용하는 것이다.

블렌더는 객체의 표면에 관심을 집중한다. 그리고 그 표면이 균일하거나 비슷한 크기의 정사각형 내지는 사각형으로 구성되도록 만드는 데 힘을 쓴다. 그래서 현재의 메쉬가 삼각형이나 다각형으로 되어 있다 하더라도, 그것을 고쳐, 균일하거나 비슷한 크기의 정사각형 내지는 사각형으로 만들되, 객체의 원래 모습을 최대한 유지시킨다는 전제 하에서, 새로 만드는 정사각형 내지는 사각형의 수를 최대한 줄인다.

블렌더에는 우리로 하여금 리메쉬 작업을 쉽게 하도록 해 주기 위해서 리메쉬 모디파이어 (Remesh Modifier) 툴을 마련해 두었다.

프로퍼티스 에디터를 보면, 다음과 같이 생긴 아이콘이 있을 것이다. 🔧 모디파이어 프로퍼티스(Modifier Properties) 아이콘이다. 앞에서도 (제30쪽) 소개한 바 있다.

<모디파이어를 추가>하라는 메시지가 적힌 곳을 클릭하면, 아래와 같이 수많은 모디파이어 메뉴가 제시된다.

수정	생성	변형	피직스
데이터 전송	배열	아마튜어	옷감
메쉬 캐시	베벨	캐스트	충돌
메쉬 시퀀스 캐시	불리언	커브	다이나믹 페인트
노멀 편집	빌드	변위	폭발
웨이트된 노멀	데시메이트	후크	유체
UV 투사	에지 분할	라플라시안 변형	오션
UV 왜곡	Geometry Nodes	래티스	파티클 인스턴스
버텍스 웨이트 편집	마스크	메쉬 변형	파티클 시스템
버텍스 웨이트 조합	미러	수축 감싸기	소프트 바디
버텍스 웨이트 근접	멀티리솔루션	심플 변형	
	리메쉬	스무스	
	스크류	스무스 교정	
	스킨	스무스 라플라시안	
	솔리디파이	표면 변형	

우리는 <리메쉬>를 선택한다.

리메쉬 모디파이어의 메뉴창 모습은 위와 같다. 리메쉬 모디파이어가 리메쉬 작업을 하는 방식에는 다음 네 가지가 있다.

1) 블록(Blocks)
2) 스무스(Smooth)
3) 샤프(Sharp)
4) 복셀(Voxel)

<복셀>이 디폴트로 선택돼 있다. 그러나 우리는 차례대로 살펴보기로 한다.

2.2.1. 블록으로 리메쉬하기

여기서 말하는 블록이란 정육면체를 의미한다. 그러니까, 이 방법을 사용할 때 우리는, 모든 3D 객체는 정육면체의 집합체라는 가정을 받아들여야 한다. 물론, 엄밀한 의미에서 이 가정은 옳다고 볼 수 없다. 그러므로 이 방법은 객체의 모습을 완벽에 가깝게 재현하는 데 적당하지 않다.

이제 리메쉬 모디파이어를 실행하고, <블록>을 클릭한다.

뷰포트에는 다음과 같이 서로 붙은 흑색 정사각형 둘만 보인다.

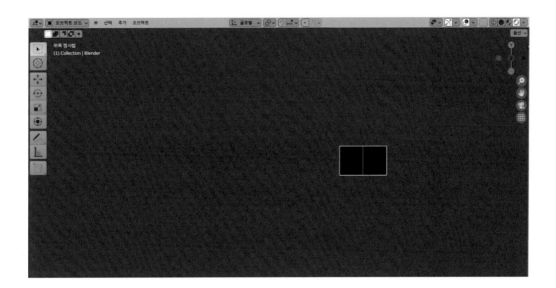

어찌된 일일까? 그것은, 첫째 <Remove Disconnected>가 체크되어 있기 때문이다. <BLENDER>라는 일곱 글자는 문자 간격(Character Spacing)으로 말미암아 서로 떨어져 있다. 그래서, 가운데 있는 N을 제외한 나머지 글자는 제거(Remove)되었다.

그러면, N은 왜 뭉개져 있는가? 이는, 옥트리 깊이(Octree Depth)의 값이 낮기 때문이다. 옥트리 깊이란 무엇인가?

옥트리(Octree)에 대해 알기 위해선 먼저 쿼드트리(Quadtree)에 대해서 알아야 할 것 같다. 쿼드트리의 개념은, 2차원 평면이 다수의 크고 작은 정사각형의 합이라는 가정 하에서 출발한다.

여기서 쿼드(Quad)는 사각형, 특히 정사각형을 의미한다.

그런데 4개의 정사각형을 하나로 모으면, 원래의 정사각형보다 4배 큰 정사각형이 된다. 그리고 새로 생긴 큰 정사각형 4개를 하나로 모으면, 이 정사각형보다 4배 큰 정사각형이 된다. 이런 과정은 무한 반복될 수 있다.

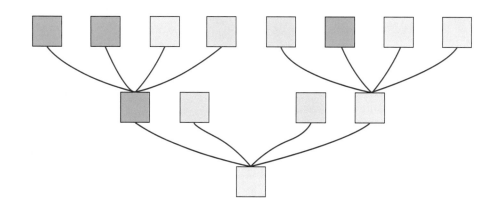

이렇게 그려진 그림이 나무와 흡사하다고 하여, 트리(Tree)라는 말이 붙었다. 그리고 정사각형의 위치가 아래로 내려갈수록, 그림과는 달리 바로 윗 단계의 정사각형에 비해 4배 더 크다.

위 그림은, 자식 사각형이 어미 사각형과 다른 색을 가질 수 있음을 표현하고 있다. 이것은, 자식 사각형이 어미 사각형과 다른 특성을 가질 수 있음을 비유적으로 보여 준다.

이 같은 쿼드트리의 개념은, 옥트리가 무엇인지를 아는 데 도움이 된다. 우선, 옥트리의 어원은 다음과 같다.

octree < 라틴어 수사 octo (= 8) + tree (= 나무)

쿼드트리는 여러 개의 정사각형을 연결시킨 것이지만, 옥트리는 여러 개의 정육면체를 연결시킨 것이다.

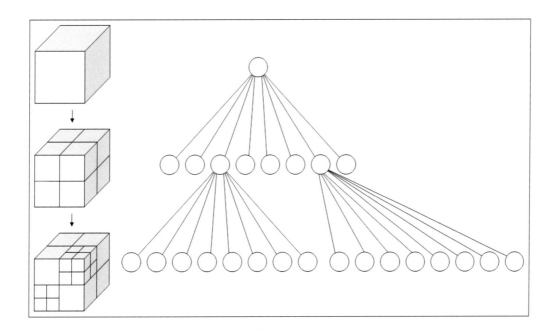

출처: Wikumedia Commons
제작: Nü at German Wikipedia

정육면체를 기반으로 하는데도, 어느 단계의 바로 아랫 단계의 수가 6배가 아니라, 8배로 늘어나는 것은, 정육면체의 모서리가 8개인 것과 대응한다.

참고로, 쿼드트리는 정사각형을 기반으로 하는데, 정사각형에는 4개의 모서리가 있다.

쿼드트리든, 옥트리든, 단계가 많아질수록, 객체를 더 세밀하고 정확하게 표현할 수 있다. 물론, 컴퓨터에는 과부하가 걸릴 수 있겠지만 말이다. 여하간, 단계가 증가하는 것을, 옥트리 깊이가 깊어진다고 말한다.

그러니까, 객체를 좀 더 세밀하고 정확하게 표현해 주고 싶다면, 컴퓨터에 부담을 좀 준다고 하더라도, 옥트리 깊이의 값을 높여 주면 된다. 그러나 무한정 늘려 줄 수는 없기 때문에, 블록으로 리메쉬하는 것은, 객체의 원래 모습을 재현하는 것이 어렵다.

먼저, <Remove Disconnected>가 체크돼 있는 것을 해제하면, 3D 뷰포트는 다음과 같이 된다.

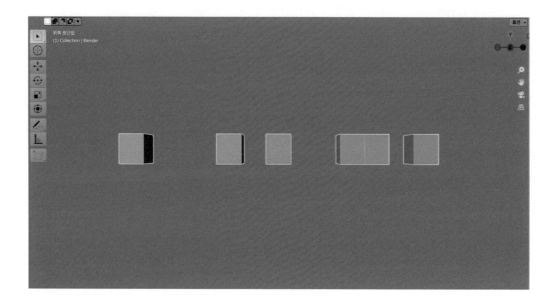

다음으로, 옥트리 깊이의 값을 7로 높여 준다. 그러면, 3D 뷰포트는 다음과 같이 된다. 이제야 글자 같은 모습을 보인다. 해상도는 낮아도 말이다.

옥트리 깊이의 값을 10로 높여 주면, 3D 뷰포트는 다음과 같이 된다. 아까보다 훨씬 더 낫다. 그러나 만족스러운 해상도는 아니다. 그렇지만, 옥트리 깊이의 값을 더 높이는 것은, 컴퓨터에 과부하가 걸리게 한다.

2.2.2. 스무스 방식으로 리메쉬하기

이 방식에서도 <Remove Disconnected>가 체크돼 있는 것을 해제한 다음에, 옥트리 깊이의 값을 7로 높여 준다. 차이점을 알기 위해서는 오르빗 기즈모로 글자를 좀 기울인 후에, 줌 버튼을 눌러, 어느 한 글자를 확대해서 본다. 예컨대, N 자를 확대해서 본다고 하자! 다음과 비슷한 결과를 얻게 된다.

스무스 방식

블록 방식

스무스 방식은, 모서리와 면 모두를 블록 방식보다 훨씬 더 부드럽게 만들어 주는 것을 알 수 있다. 만약 옥트리 깊이의 값을 10으로 올려 주면, 더욱 더 부드럽게 된다.

2.2.3. 샤프 방식으로 리메쉬하기

이 방식에서도 <Remove Disconnected>가 체크돼 있는 것을 해제한 다음에, 옥트리 깊이의 값을 7로 높여 준다. 글자 하나를 가지고 스무스 방식과 비교해 보자!

샤프 방식

스무스 방식

샤프 방식에서는 모든 모서리가 다 날카롭게 되어 있다.

2.2.4. 복셀 방식으로 리메쉬하기

복셀(Voxel)이란, 2차원 그래픽의 픽셀(Pixel)에 대응하는 말이며, 볼륨(Volume)과 픽셀의 합성어이다. 동일한 면적 안에 들어가는 픽셀 수가 많을수록, 해상도가 높아지는 것처럼, 동일한 체적 안에 들어가는 복셀 수가 많을수록 해상도가 높아진다.

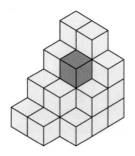

출처: Wikimedia Commons

제작: Vossman; M. W. Toews

복셀 방식은 텍스트 오브젝트에 볼륨 감을 줄 수 있다. 이 방식을 선택하면, 복셀 사이즈의 디폴프 값이 0.1m로 되어 있어서, 글자가 다음과 같이 뭉개져 보인다.

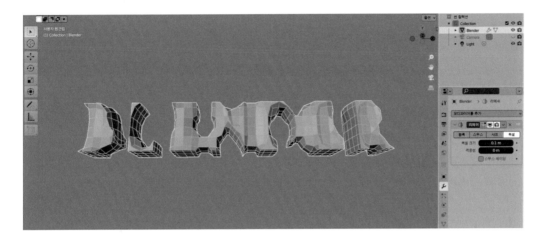

복셀 사이즈를 0.03m로 줄여 보자! 다음과 같은 결과를 얻게 된다.

복셀 사이즈를 더 줄이면, 글자는 더 선명해질 것이다.

여하간, 어떠한 방식을 사용하든, 우리는 리메쉬 모디파이어를 통하여 리메쉬 작업을 좀 더 편하게 할 수 있다. 그래서 3D 텍스트를 좀 더 쉽게 변형시킬 수 있는 기반을 마련할 수 있게 된다.

2.3. 데시메이트 모디파이어를 사용한 메쉬 정돈

우리는 앞에서 리메쉬 모디파이어를 사용하여 텍스트 오브젝트의 메쉬를 정돈하였다. 그러나 메쉬 정돈을 위하여 리메쉬 모디파이어 대신 데시메이트 모디파이어(Decimate Modifier)를 사용할 수 있다.

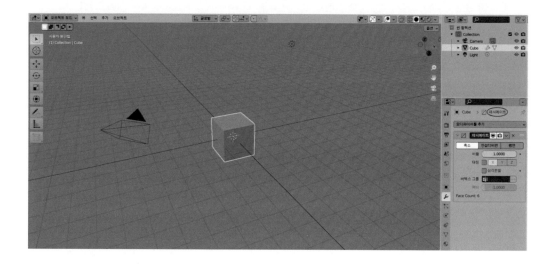

데시메이트(decimate)라는 영어 동사는 decimare라는 라틴어 동사에서 유래하였다. 라틴어 동사 decimare는 원래 '열 명 중 한 명을 죽인다'는 뜻이다.

라틴어 동사 decimare는 '열 번째'를 의미하는 라틴어 수사 decimus에서 파생되었다.

라틴어 명사 decima는 '십일조'를 의미한다.

영어 동사 decimate는 현재 보통 '대거 학살하다' 혹은 '엄청나게 제거하다'는 뜻으로 많이 사용된다.

블렌더에서 데시메이트 모디파이어는 본디 객체의 버텍스 수를 대거 줄이기 위해 사용되는 툴이다.

화면 중앙에 다음과 같은 텍스트 오브젝트가 있다고 가정해 보자!

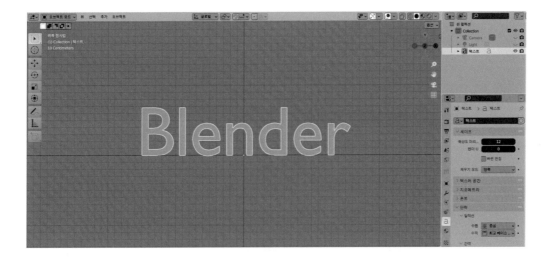

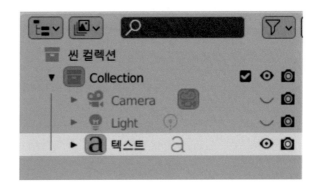

먼저, 텍스트 오브젝트를 메쉬 오브젝트로 변환해 주자! 오브젝트 > Convert > 메쉬를 차례로 선택한다. 그러면, 아웃라이너의 모습이 다음과 같이 바뀐다.

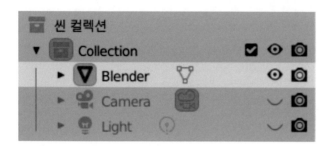

이제 프로퍼티스 에디터로 가서, 모디파이어 프로퍼티스 아이콘을 누르면, <모디파이어 추가>라는 메시지가 뜬다. 이것을 클릭하면, 다음과 같이 수많은 모디파이어 메뉴가 나타난다.

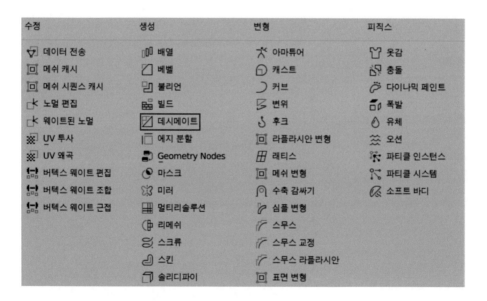

이 중에서 우리는 데시메이트를 선택하자! 프로퍼티스 에디터를 보면, 다음 페이지 위에 보이는 그림이 새로 나타난다. 단, 지금의 데시메이트의 대상은 큐브와 같은 일반 오브젝트가 아니라, 메쉬로 변환된 텍스트 오브젝트이다.

박스의 하단부를 보면, Face Count가 494로 되어 있다. 무슨 뜻인가? 이를 알기 위해
뷰포트 셰이딩 모드를 와이어프레임 모드로 전환한다.

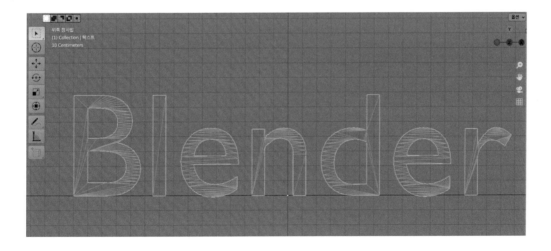

위 그림을 통해 우리는, Blender라는 글자가 크고 작은, 수많은 삼각형으로 이루어진
것을 알 수 있다. Face Count가 494로 되어 있으므로, 여기서는 삼각형의 수가 494라는
것을, 컴퓨터가 우리 대신 세어 준 것을 확인할 수 있다.

아무리 컴퓨터가 우리 대신 작업을 해 준다지만, Blender라는 글자를 쓰기 위해 494개의 삼각형이 꼭 필요한 것인가? 더 중요한 것은 모양이다. 크기가 제각각인 수많은 삼각형으로 이루어진 도형보다는, 크기가 일정한 소수의 사각형으로 이루어진 도형이 훨씬 더 정돈돼 보인다. 그러므로, 글자 모양을 최대한 유지하면서도, 삼각형의 수를 대폭 줄이거나, 아니면, 삼각형 대신 사각형을 사용하되 (물론, 불가피한 경우는 삼각형을 일부 사용할 수 있음), 사용하는 사각형 수를 대폭 줄일 수 있는 방법을 생각해 보게 된다. 이때 우리는 앞에서처럼 리메쉬 모디파이어를 사용하든지, 아니면, 그 대신 데시메이트 모디파이어를 사용할 수 있다.

단, 데시메이트 모디파이어는 반드시 일정한 크기의 사각형만을 사용하지 않는다. 왜냐하면, 데시메이트 모디파이어는 글자 그대로 폴리곤 수를 <대폭> 줄이는 것을 글자 모양 유지보다 더 중요하게 간주하기 때문이다. 반면, 리메쉬 모디파이어의 경우는 글자 모양 유지가 더 중요하다.

데시메이트 모디파이어의 실행 옵션은 다음 세 가지이다.

축소(Collapse)
언섭디비젼(Un-Subdivision)
평면(Planar)

이 중에서 우리는 평면이라는 옵션만 사용하기로 한다.

<축소>와 <언섭디비젼>은 주로 3D 객체에 사용된다. 반면, <평면>은 주로 2D 객체에 사용된다. 글자는 보통 평면에 씌어지기 때문에, 2D 객체로 볼 수 있다.

Face Count가 아까는 494였는데, 지금은 12로 대폭 줄어들었다.

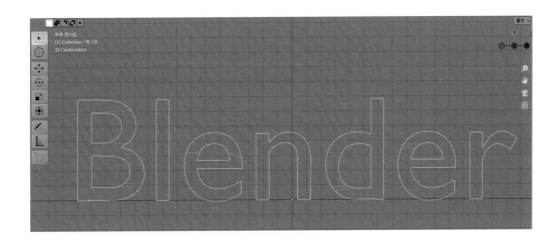

뷰포트 셰이딩 모드를 솔리드 모드로 전환해 보자!

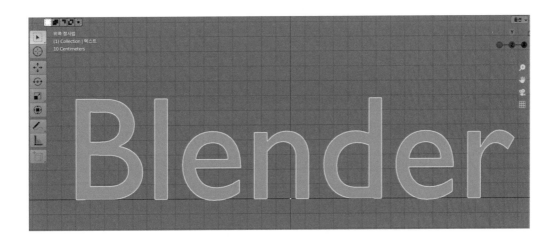

Face Count가 12밖에 되지 않지만, 글자 모양은 별로 찌그러지지 않았다. 그러니까, 데시메이트 모디파이어를 사용해도 상당히 만족스러운 결과를 얻을 수 있다.

물론, 이것은 아직 2D 객체이다. 이것을 3D 객체로 만들기 위해서는, 돌출 작업을 해주거나, 아니면, 앞에서 (제31쪽) 소개한 솔리디파이 모디파이어를 사용하면 된다.

필자는 여기서 솔리디파이 모디파이어를 사용하려 한다. 이 모디파이어를 추가하면, 프로퍼티스 에디터에 다음과 같은 상자가 생긴다.

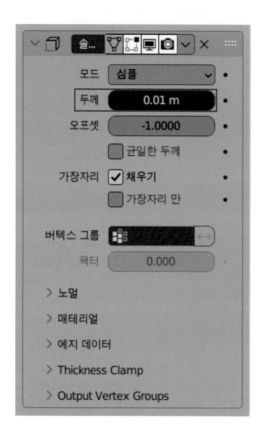

두께(Thickness)를 0.01m에서 0.1m로 조정해 주겠다. 그리고 오르빗 기즈모로 화면을 약간만 회전시키겠다. 이제 우리는 두께를 가진 3D 텍스트 오브젝트를 보게 된다.

3. 객체 표면과 텍스트

우리는 일상 생활에서 글자가 기록돼 있는 객체를 무수히 본다. 그런데 거기에 기록된 글자 자체는 대부분 2차원적이다. 즉, 글자가 새겨져 있거나 돌출돼 있는 경우는 그렇게 많지 않다. 다만, 글자가 기록돼 있는 객체 그 자체는 3D인 경우가 상당히 많다.

3.1. 평면과 2D 텍스트

블렌더에서 어떤 평면에 2D 텍스트를 붙이는 것은 간단한 작업으로 여겨질 수 있지만, 실지로 해 보면, 그리 만만하지 않다.

위 그림은, 평면 위에 <Blender>라는 텍스트 오브젝트를 딱 붙여 놓은 것이다. 평면도 두께가 없고, 텍스트 오브젝트도 두께가 없다. 두께가 없는 두 개의 오브젝트를 딱 붙여 놓으니, 블렌더 입장에서는 텍스트 오브젝트를 명확하게 표현하기가 어려웠던 것이다. 해결책이 하나 있다. 텍스트 오브젝트를 약간 위로 올려 주는 방법이다. 그러나 이것은 편법이다. 이는, 텍스트 오브젝트를 미세하게나마 평면으로부터 분리시키기 때문이다.

제대로 된 해결책은 없는가? 있기는 한데, UV 매핑(Mapping)이라는 초심자들에게는 다소 어렵게 느껴질 수 있는 프로세스를 사용해야 한다.

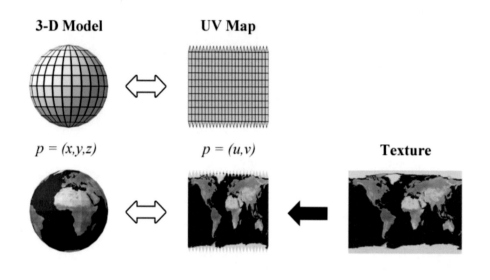

출처: Wikimedia Commons

제작: Tschmits

매핑(Mapping)이란, 본디 구체(球體)인 지구의 표면을 평면인 지도 위에 표현하는 것이다. UV 매핑은 매핑을 모든 3D 객체에 확대, 적용하는 것이다.

UV 매핑에서는 X축과 Y축 대신에 U축과 V축을 사용한다.

지도에서는 지구 상의 좌표를 쉽게 식별할 수 있도록 경선과 위선을 사용한다. UV 맵의 경우도 경선과 위선 비슷한 것을 사용한다.

지도에서 경위선을 사용하는 것은, 지구 표면을 무수한 사각형으로 나눌 수 있다고 전제하기 때문이다. UV 맵의 경우도 3D 객체의 표면이 무수한 사각형으로 나눌 수 있다고 전제한다. 물론, 불가피한 경우는 삼각형을 보조로 사용한다.

여하간, 이렇게 무수한 사각형 및 삼각형의 집합체인 객체 표면을 하나의 평면 위에 정리해 놓은 것 – 이것이 UV 맵이다.

블렌더를 새로 시작하자! 그리고 뷰포트 중앙에 보이는 정육면체의 UV 맵을 그려 보자!

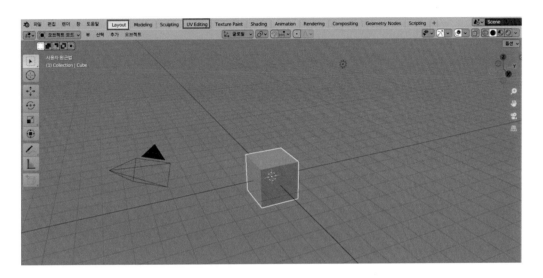

뷰포트 위의 워크스페이스(Workspace) 변경 메뉴를 보면, 현재는 <Layout>이 선택돼 있다. 이것을 UV Editing으로 바꾸어 준다. 화면이 둘로 나뉘고, 왼쪽 창에는 정육면체의 UV 맵이 자동으로 그려져 표시된다.

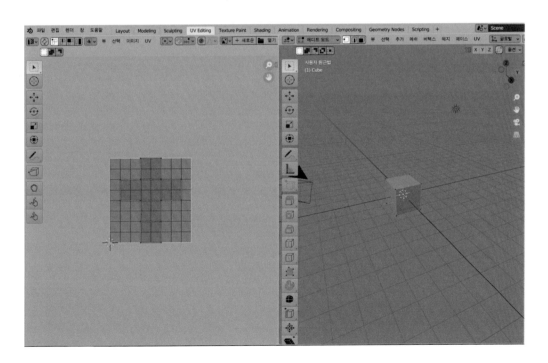

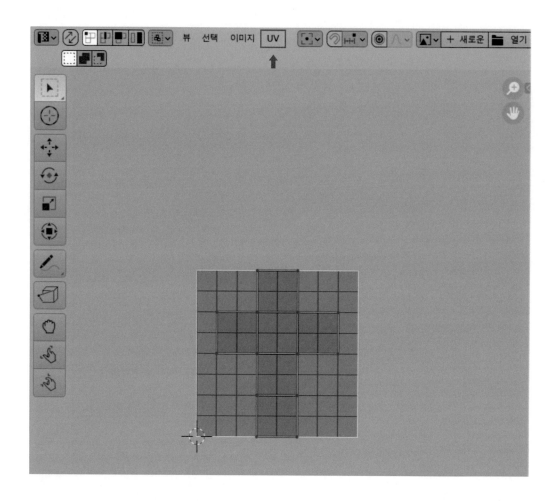

이 왼쪽 창에 보이는 것이 UV 에디터(UV Editor)이다. 이 에디터의 상단부를 보면, 몇 가지 메뉴가 보이는데, 우리는 UV를 선택한다. 그러면, 옆 페이지에 보이는 것처럼, 드롭 다운 메뉴가 나타난다.

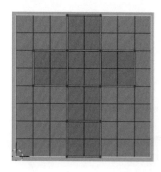

왼쪽에 보이는 것이 UV 맵 혹은 UV 레이아웃(UV Layout)이다.

우리가 UV 레이아웃을 내보내는 것은 <포토샵>이나 <일러스트레이터>와 같은 그래픽 프로그램에서 무슨 이미지 파일을 얻기 위함이다. 무슨 이미지 파일인가? 그것은, 우리가 타겟으로 삼은 객체에 붙일 텍스트의 이미지 파일이다.

사실, 텍스트도 일종의 이미지이다. 그래서, 우리는 앞에서 텍스트 오브젝트를 메쉬 오브젝트로 바꾸는 작업을 하였다.

블렌더에서도 그래픽 작업을 전혀 할 수 없는 것은 아니다. 하지만, 그래픽 작업은 그래픽 프로그램에서 하는 것이 훨씬 더 효율적이다.

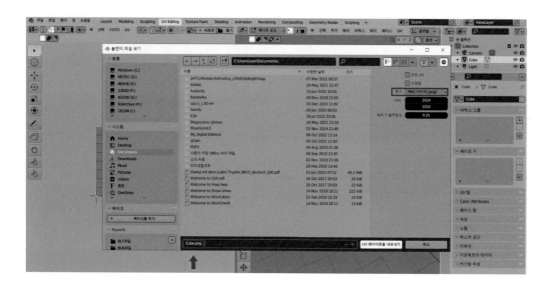

<UV 레이아웃을 내보내기>를 클릭하면, 위와 같은 화면이 뜬다. 내보기할 파일의 이름이 디폴트로 Cube.png라 되어 있다. 원하는 이름으로 바꾸어 주면 된다. 필자는 그냥 이 이름을 사용하도록 하겠다. 저장할 위치도 바꾸어 줄 수 있다.

   PNG는 이미지 파일의 포맷 중 하나다. 트루컬러를 표현할 수 있고, JPG 파일에 비해 압축에 따른 화질 손실이 적다. 블렌더는 PNG를 JPG보다 더 선호한다.

필자는 <일러스트레이터> 프로그램을 이용하여 다음과 같은 이미지를 제작하였다.

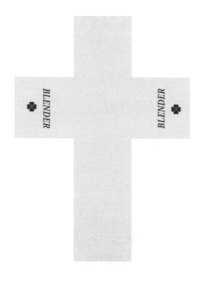

이것을 우리의 객체에 적용하기 위해서는 프로퍼티스 에디터에서 매트리얼 프로퍼티스를
선택한다.

<베이스 컬러> 옆의 작은 박스 안에 노란색
점이 있다. 이곳을 클릭하면, 아래와 같은
메뉴창이 펼쳐진다. 수많은 메뉴 중에서
우리는 이미지 텍스쳐(Image Texture)를
선택한다.

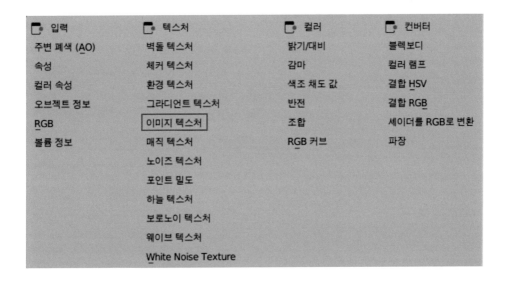

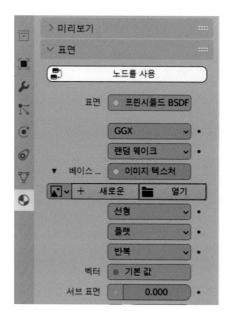

이미지 텍스쳐(Image Texture)를 선택하면, 프로퍼티스 에디터는 왼쪽과 같이 바뀐다. 우리는 여기서 <열기>를 클릭한다.

아래와 같이 <블렌더 파일보기>라는 창이 뜰 것이다.

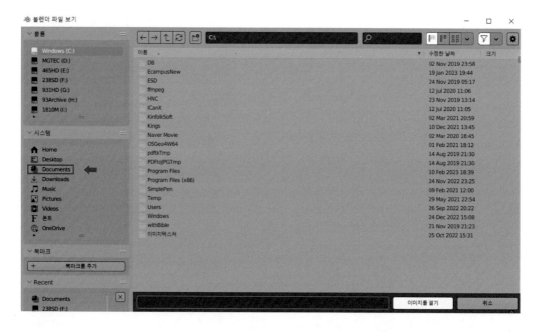

여기서 우리는 <Documents> 폴더를 선택한다. 이는, 여기에 우리가 방금 만든 이미지 파일이 들어 있기 때문이다.

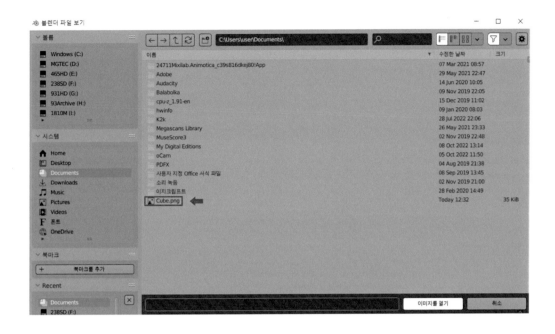

이 파일을 클릭하여 열면, 우리는 다음과 같은 화면을 얻게 된다.

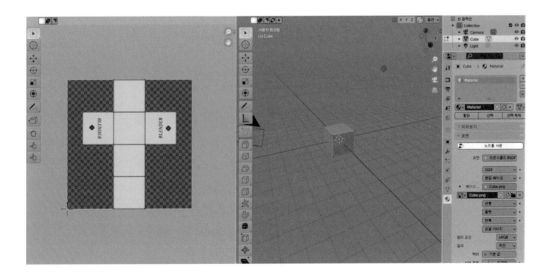

왼쪽의 UV 에디터의 창을 보면, 우리가 만든 이미지가 적용된 것을 볼 수 있다. 오른쪽 창은 변화가 없다. 이제 워크스페이스 변경 메뉴로 가서, <Layout>을 선택하도록 하자! 뷰포트 셰이딩 모드는 매트리얼 미리보기 모드이다.

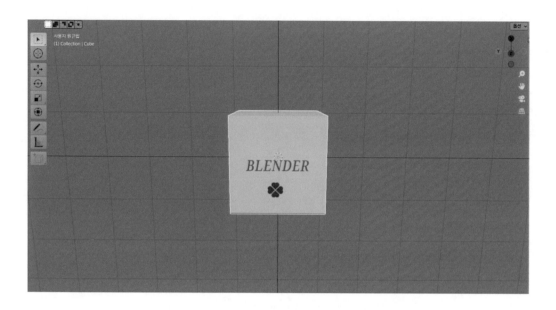

우리는 위와 같은 뷰포트의 모습을 보게 된다. 오브젝트를 이리저리 돌려, 다른 면도 확인해 보길 바란다.

이제 이 정육면체를 줄여, 직육면체로 만들되, 글자가 적혀 있는 앞면과 뒷면은 그대로 두도록 하자! 다음과 같이, 앞면과 뒷면이 정사각형인 일종의 빌보드(Billboard)가 만들어진다.

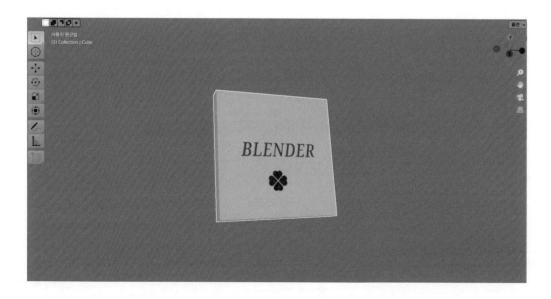

3.2. 곡면과 2D 텍스트

곡면(曲面) 위에 2D 텍스트를 붙이는 방법에는 두 가지가 있다. 첫째는, UV 매핑을 사용하는 방법이고, 둘째는, 수축감싸기 혹은 슈링크랩(Shrinkwrap) 모디파이어를 사용하는 방법이다.

3.2.1. UV 매핑으로 곡면에 텍스트 붙이기

다음과 같은 원기둥이 있다고 하자!

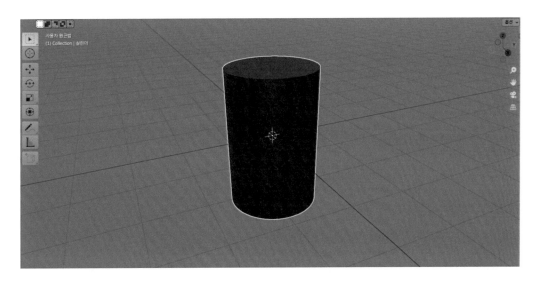

그리고 이 원기둥에 다음과 같은 텍스트가 씌어진 벽지를 붙인다고 하자! 벽지의 바탕색과 기둥의 색은 같다고 가정한다.

우리는 이 원기둥의 UV 맵을 아래와 같이 만들 수 있다.

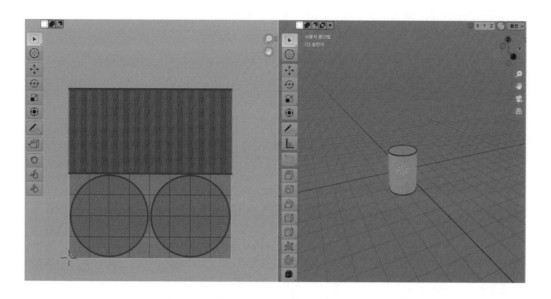

UV 레이아웃을 우리가 지정한 폴더에 <내보내기>하면, 우리가 아는 대로, 그 폴더에 UV 맵의 PNG 파일이 생성된다. 이 파일을 <포토샵>이나 >일러스트레이터>와 같은 그래픽 프로그램으로 가져가, 우리가 원하는 텍스트가 씌어진 벽지를 만든다. 우리는 <Blender & Text>라는 텍스트를 쓰기로 하였다.

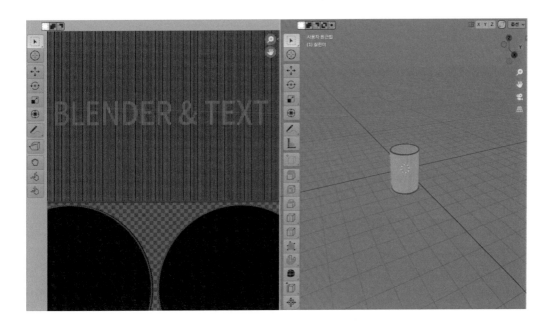

우리가 만든 벽지를 원기둥에 붙였을 때, UV 맵은 위와 같이 그려진다. 이 맵이 붙여진 원기둥의 모습은 다음과 같다.

원기둥을 이리저리 돌려, 우리가 그린 UV 맵이 제대로 붙어 있는지를 확인해 보시기 바란다.

3.2.2. 슈링크랩 모디파이어로 곡면에 텍스트 붙이기

수축감싸기 혹은 슈링크랩(Shrinkwrap) 모디파이어는 텍스트를 타겟이 되는 객체에 감싸듯이 갖다붙이는 일을 해 줄 수가 있다. 단, 이것은 UV 매핑과는 달리 텍스트와 타겟이 되는 객체 사이에 오프셋을 설정할 수 있게 되어 있다.

슈링크랩 모디파이어로는 텍스트를 타겟이 되는 객체에 완전히 달라붙게 하기가 쉽지 않다.

먼저, 블렌더를 새로 시작하고, <환경 설정>에서 Import-Export: Import Images as Planes라는 애드온이 설치돼 있는지를 확인하고, 설치돼 있지 않으면, 설치해 준다. 이 애드온은 블렌더에 내장돼 있으므로, 활성화만 시켜 주면 된다.

다음으로, <포토샵>이나 <일러스트레이터> 등 그래픽 프로그램으로 입력하기를 원하는 텍스트가 들어간 이미지를 만든다. 그리고 이것을 PNG 형식의 파일로 보관한다. 필자는 다음과 같은 이미지를 준비하였다. 사실, 이것은 파일 형식만 이미지일 뿐, 내용적으로는 텍스트이다.

원추

우리는 이 텍스트를 아래와 같은 원뿔 표면에 갖다붙이려 한다.

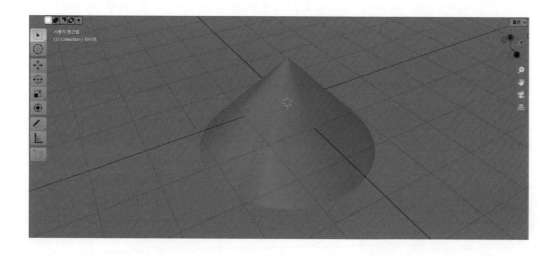

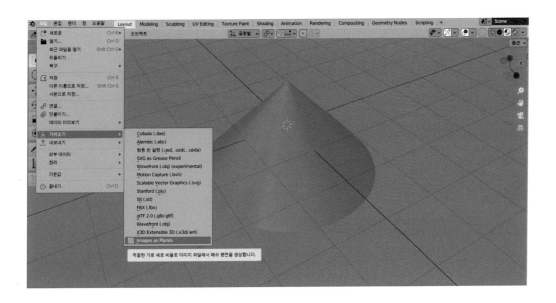

위 그림과 같이 파일 > 가져오기 > Images as Planes를 차례로 클릭하여, 이미지 파일이
보관된 폴더에서 <원추.PNG>라는 이미지 파일을 가져온다. 그러면, 뷰포트의 모습은
다음과 같이 바뀐다.

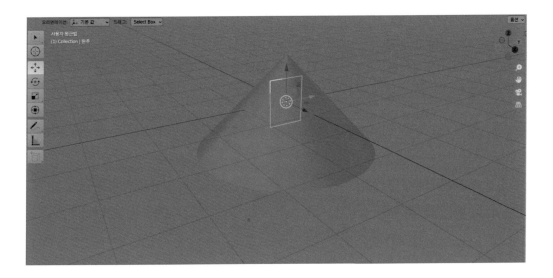

<원추.PNG>를 X축을 따라 앞으로 약간 이동시키고, 크기도 원뿔의 크기를 고려하여
적절히 맞추어 준다.

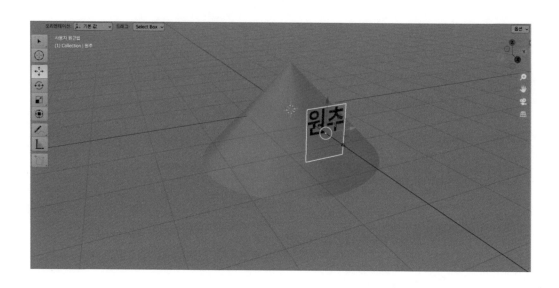

<원추>라는 텍스트 이미지를 에디트 모드에서 섭디비젼(Subdivision)을 해 주되, 잘라내기의 수(Number of Cuts)를 100으로 정하겠다. 이 수를 20 정도로 해도 되기는 한다. 다시 오브젝트 모드로 돌아간다. 그리고 프로퍼티스 에디터로 가서, 모디파이어 프로퍼티스 아이콘을 선택한 다음, <모디파이어를 추가>라는 메시지가 적힌 곳을 클릭하면, 아래와 같이 수많은 모디파이어 메뉴가 제시된다.

수정	생성	변형	피직스
데이터 전송	배열	아마튜어	옷감
메쉬 캐시	베벨	캐스트	충돌
메쉬 시퀀스 캐시	불리언	커브	다이나믹 페인트
노멀 편집	빌드	변위	폭발
웨이트된 노멀	데시메이트	후크	유체
UV 투사	에지 분할	라플라시안 변형	오션
UV 왜곡	Geometry Nodes	래티스	파티클 인스턴스
버텍스 웨이트 편집	마스크	메쉬 변형	파티클 시스템
버텍스 웨이트 조합	미러	수축 감싸기	소프트 바디
버텍스 웨이트 근접	멀티리솔루션	심플 변형	
	리메쉬	스무스	
	스크류	스무스 교정	
	스킨	스무스 라플라시안	
	솔리디파이	표면 변형	

수축감싸기를 선택하면, 프로퍼티스 에디터에는 이런 창이 뜬다.

여기서 오프셋 값이 0으로 되어 있는 것을 0.001로 미세하게 올려 주자!

마지막으로 <대상>을 선택해야 한다. 네모난 아이콘을 누르면, '원뿔'이라고 하는 모디파이할 대상의 이름이 뜰 것이다. 이 이름을 클릭하면, 그 즉시 <원추>라는 텍스트 옵브젝트가 원뿔 표면에 달라붙을 것이다.

우리는 키보드에서 <G 키>를 누른 다음, 마우스 오른쪽 버튼을 사용하여, 이 텍스트 옵브젝트를 구체 표면 상에서 원하는 곳으로 이동시킬 수 있다. 원하는 곳에 도달했다고 판단되면, 마우스 왼쪽 버튼을 눌러 확인해 준다.

곡면 위에 글을 투사(Project)하였고, 그것을 다시 평면 상에 표현하였으므로, 위치에 따라 글자 모양이 왜곡되는 것은 불가피하다. 같은 방법으로 공과 같은 구체(球體)의 표면에 글을 투사할 경우, 왜곡은 훨씬 더 심해진다. 이러한 왜곡을 최소화할 수 있는 방법은 없는가?

우리는 제54쪽 이하에서 곡선 위에 글을 배치하는 방법을 살펴본 바 있다. 우리는 이 방법을 응용할 수 있다. 우선, 다음과 같은 글을 써 보자!

다음으로, 이 글을 원 위에 배치하도록 하자! 이를 위해 오브젝트 모드에서 추가 > 커브 > 원형 혹은 넙스 원형을 차례로 선택하여, 뷰포트에 원을 하나 추가한다. 그리고 텍스트를 선택한 다음 커브 모디파이어도 추가한다.

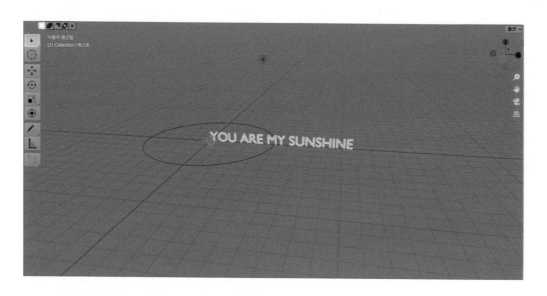

이제 커브 모디파이어를 보자! Curve Object라 적힌 곳 오른쪽에 네모난 아이콘이 있다. 이것을 누르면, 그 즉시 <넙스 원형>이라고 하는 모디파이할 대상의 이름이 뜬다. 이 이름을 클릭한다. 텍스트가 바로 원 위로 올라간다.

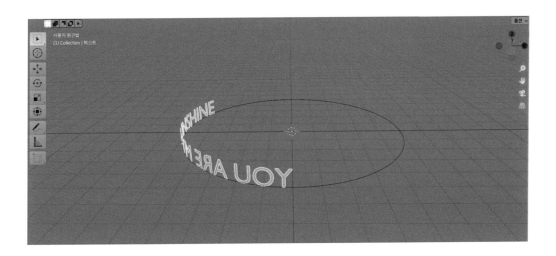

문제는 글자의 방향이다. 이를 시정하기 위해 툴바의 회전 아이콘을 누른 후, Z축을 선택하고, 각도를 180도로 변경해 준다.

이제 적당한 크기의 구체를 하나 추가해 준다. 그리고 텍스트 옵브젝트는 메쉬로 변환해 준다.

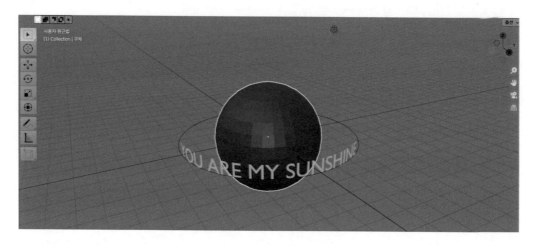

또 한가지 필요한 작업은 구체의 표면을 스무스 쉐이더(Smooth Shader)로 스무스하게 만들어 주는 일이다. 텍스트 옵브젝트는 에디트 모드에서 섭디비젼을 해 주되, 잘라내기의 수는 100으로 정한다. 그리고 다시 다시 오브젝트 모드로 돌아간다.

우리는 이미 앞에서 수축감싸기 혹은 슈링크랩 모디파이어를 사용해 보았다. 그러므로 꼭 필요한 내용만 설명하도록 하겠다.

이 모디파이어를 작동시키면, 앞에서 본 대로, 다음과 같은 창이 뜬다.

이 모디파이어의 세팅은 다음과 같이 한다.

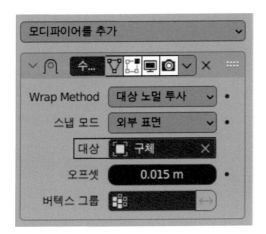

여기서 '구체'라고 하는 모디파이할 대상의 이름을 클릭하면, 그 즉시 <YOU ARE MY SUNSHINE>이라는 텍스트 옵브젝트가 구체 표면에 달라붙을 것이다.

원을 보이지 않게 하기 위해서 아웃라이너에서 넙스 원형을 끈다.

원추의 경우처럼, 우리는 키보드에서 <G 키>를 누른 다음, 마우스 오른쪽 버튼을 사용하여, 이 텍스트 옵브젝트를 구체 표면 상에서 원하는 곳으로 이동시킬 수 있다. 원하는 곳에 도달했다고 판단되면, 마우스 왼쪽 버튼을 눌러 확인해 준다.

하지만, 텍스트 옵브젝트를 이동시키는 경우, 오프셋 값을 변경시켜 주어야 할 수도 있다. 구체의 표면에 텍스트 오브젝트를 붙인다는 것은 쉬운 일이 아니다.

3.3. 객체 표면에 텍스트 각인하기

3.3.1. 객체 평면에 텍스트 각인하기

어떤 객체의 표면에 텍스트를 조각하여 새겨 넣는 것을 각인(刻印, carving)이라 한다. 각인의 방법에는 음각과 양각 두 가지가 있다.

음각(陰刻, engraving)이란, 조각을 함에 있어 글자나 그림 따위를 안으로 들어가게 새기는 일을 말한다.

양각(陽刻, embossing)이란, 반대로 밖으로 나오게 새기는 일을 말한다. 부조(浮彫)라고도 한다.

이 세상에는 평평한 표면을 지닌 객체가 무수히 많다. 대표적인 예가 정육면체 혹은 직육면체이다. 뷰포트에 다음과 같은 직육면체가 있다고 가정한다.

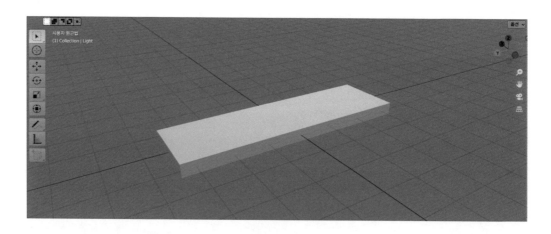

이 직육면체에 다음과 같은 텍스트를 음각한다고 해 보자!

BEUTIFUL DREAMER

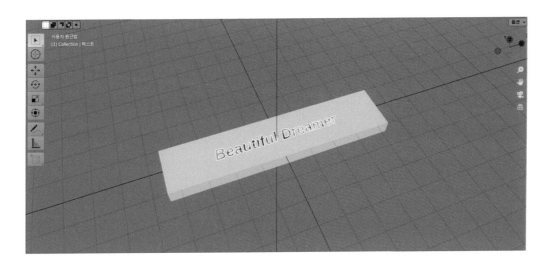

위 그림을 보면, 텍스트 옵브젝트가 직육면체 표면에 붙어 있다. 이 텍스트 옵브젝트의 두께는 전혀 없다. 그래서 텍스트가 또렷하게 보이지 않는 것이다.

먼저, 텍스트 옵브젝트를 메쉬 옵브젝트로 변환해 준다. 그리고 데시메이트 모디파이어를 사용하여 메쉬를 정돈해 준다.

이제 텍스트 옵브젝트에 두께를 주도록 한다. 이를 위해서는 돌출 작업을 해 주거나, 솔리디파이 모디파이어를 사용한다. 필자는 두께를 0.02m로 조정해 주겠다. 그리고 텍스트 옵브젝트를 위로 (Z축으로) 0.2m만큼 올려 주겠다.

드디어 음각을 실행할 준비가 거의 완료되었다. 아웃라이너에서 음각의 대상이 되는 <Cube>를 선택한다. 그리고 프로퍼티스 에디터에서 모디파이어 프로퍼티스 아이콘을 클릭하고, <모디파이어를 추가>라는 메시지가 뜬 곳을 누른다. 이때 수많은 모디파이어가 제시되는데, 우리는 생성 모디파이어 그룹에서 불리언 모디파이어(Boolean Modifier)를 켠다.

수정	생성	변형	피직스
데이터 전송	배열	아마튜어	옷감
메쉬 캐시	베벨	캐스트	충돌
메쉬 시퀀스 캐시	불리언	커브	다이나믹 페인트
노멀 편집	빌드	변위	폭발
웨이트된 노멀	데시메이트	후크	유체
UV 투사	에지 분할	라플라시안 변형	오션
UV 왜곡	Geometry Nodes	래티스	파티클 인스턴스
버텍스 웨이트 편집	마스크	메쉬 변형	파티클 시스템
버텍스 웨이트 조합	미러	수축 감싸기	소프트 바디
버텍스 웨이트 근접	멀티리솔루션	심플 변형	
	리메쉬	스무스	
	스크류	스무스 교정	
	스킨	스무스 라플라시안	
	솔리디파이	표면 변형	

그러면, 옆의 그림과 같은 작은 창이 프로퍼티스 에디터 안에 뜬다. 여기에서 보는 대로, 불리언 모디파이어에는 교차(Intersect), 결합(Union), 차이(Difference)라는 세 가지 기본 메뉴가 있다.

우리는 지금 차이라는 메뉴를 사용하려 한다.

다음 단계에서 <오브젝트>를 선택하기 위해 네모난 아이콘을 누른다. 그러면, '텍스트' 라는 모디파이에 사용할 도구의 이름이 뜰 것이다. 이 이름을 클릭한다.

그러면, 프로퍼티스 에디터의 모양은 이렇게 된다.

위 박스에서 사진기 아이콘 오른쪽을 보면, ∨ 표가 있다. 이 표를 누르면, 다음과 같이 작은 창이 뜬다.

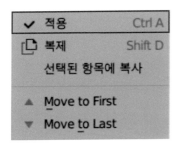

이 적용 단추를 눌러야 불리언이 작업을 실행한다.

작업이 성공적으로 수행되었는지를 확인하기 위해 아웃라이너에서 텍스트를 끈다.

위 그림에서 보는 대로, 음각 작업은 성공적으로 수행되었다. 좀 더 명확히 보려면, 뷰포트 셰이딩 모드를 렌더 미리보기 모드로 전환한다. 그리고 화면을 적절히 확대한다.

양각(陽刻) 작업은 어떻게 하는가? 이를 위해서는 불리언 모디파이어의 세 기본 메뉴 중에서 차이 대신 결합을 선택한다.

결합을 선택하고 불리언 모디파이어를 실행했을 때, 다음과 같은 결과를 얻게 된다.

아웃라이너에서 텍스트를 끈다 해도, 화면의 모습에는 변화가 없다. 여하간, 음각 작업에 성공할 경우, 양각 작업은 별다른 어려움 없이 수행 가능하다.

3.3.2. 객체 곡면에 텍스트 각인하기

객체의 곡면(曲面)에 텍스트를 각인하려면 어떻게 해야 하는가? 앞에서처럼 불리언 모디파이어를 사용하면 된다.

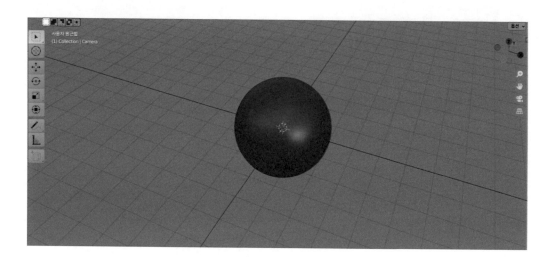

뷰포트 안에 위와 같은 구체가 있다고 상정한다. 오브젝트 모드의 헤더 패널(Header Pannel)을 보면, <오브젝트>라는 메뉴가 있다. 이것을 클릭하면, 아래와 같이 드롭다운 메뉴가 펼쳐진다.

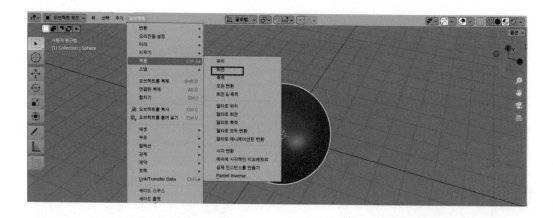

우리는 적용 > 회전 및 축척을 선택한다.

이 푸른색 구체 위에 'Love'라고 하는 분홍색 글자를 각인한다고 해 보자. 일단, 이 구체가 보이지 않게 한 다음, 에디트 모드에서 뷰포트 중앙에 'Love'라고 하는 분홍색 글자를 다음과 같이 만든다. 돌출의 값은 0.4m로 해 준다.

오브젝트 모드로 돌아가, 이 텍스트 오브젝트를 메쉬로 변환해 준다. 그리고 텍스트 옵브젝트를 메쉬로 변환해 준다. 이어서 리메쉬 모디파이어를 사용하여 메쉬를 정돈해 준다. 리메쉬의 방식으로는 복셀을 선택한다.

뷰포트 셰이딩 모드를 매트리얼 미리보기 모드로 전환하고, 넙스 원형을 하나 추가한다. 넙스 원형의 반경은 2m로 정해 준다.

이제 아웃라이너에서 텍스트를 선택하고 커브 모디파이어도 추가한다. 그리고 텍스트 오브젝트를 원 위로 올려 놓는다.

글자의 방향을 바르게 고쳐 준다.

아웃라이너로 가서, 넙스 원형은 끄고, 구체는 켜서 보이게 한다.

위 그림에서 보는 대로, 3D 텍스트와 구체가 겹쳐진 부분이 있다. 이제 불리언 모디파이어를 사용할 준비가 되었다.

아웃라이너에서 구체를 선택하고 불리언 모디파이어도 추가한다. 그리고 프로퍼티스
에디터가 다음과 같은 모양이 되도록 조치한다.

여기에서 <텍스트>를 클릭한다.

아웃라이너에서는 텍스트가 보이지 않게
한다.

우리는 다음과 같은 결과를 얻는다. 즉, 구체의 표면에 텍스트를 음각하는 데 성공한 것
이다.

양각(陽刻) 작업은 앞에서 해 본 대로, 불리언 모디파이어의 세 기본 메뉴 중에서 차이
대신 결합을 선택한다.

블렌더와 텍스트 베이직

발 행 | 2023년 3월 8일
저 자 | 김광채
펴낸이 | 한건희
펴낸곳 | 주식회사 부크크
출판사등록 | 2014.07.15.(제2014-16호)
주 소 | 서울특별시 금천구 가산디지털1로 119 SK트윈타워 A동 305호
전 화 | 1670-8316
이메일 | info@bookk.co.kr

ISBN | 979-11-410-1936-5